BUSCA LA P

Colección  Sabiduría

JACQUES PHILIPPE

Busca la paz y consérvala

Pequeño tratado sobre la paz del corazón

SAN PABLO

Distribución San Pablo:

Argentina

Riobamba 230, C1025ABF BUENOS AIRES, Argentina.
Teléfono (011) 5555-2416/17. Fax (011) 5555-2439.
www.san-pablo.com.ar – E-mail: ventas@san-pablo.com.ar

Chile

Avda. L. B. O´Higgins 1626, SANTIAGO Centro, Chile.
Casilla 3746, Correo 21 - Tel. (0056-2-) 7200300 - Fax (0056-2-) 6728469
www.san-pablo.cl – E-mail: spventas@san-pablo.cl

Perú

Las Acacias 320 – Miraflores, LIMA 18, Perú.
Telefax: (51) 1-4460017

Philippe, Jacques

Busca la paz y consérvala: pequeño tratado sobre la paz del corazón. – 1ª ed. 9ª reimp.– Buenos Aires: San Pablo, 2008.

112 p.; 21x14 cm.- (Sabiduría)

Traducción de: Norma Muñoz

ISBN: 978-950-861-465-0

1. Espiritualidad-Vida Cristiana. I. Norma Muñoz, trad. II. Título

CDD 248

Título original: *Recherche la Paix et poursuis-la*

Con las debidas licencias / Queda hecho el depósito que ordena la ley 11.723 / © **SAN PABLO**, Riobamba 230, C1025ABF BUENOS AIRES, Argentina. E-mail: director.editorial@san-pablo.com.ar / © original de Editions des Béatitudes, Société des Oeuvres Communautaires, 1991 / Impreso en la Argentina en el mes de abril de 2008 / Industria argentina.

ISBN: 978-950-861-465-0

Presentación

Así la paz de Cristo reinará en sus corazones...
(Col 3, 15)

La experiencia les mostrará que la paz,
que irradia en sus almas la caridad,
el amor de Dios y del prójimo,
es el camino recto hacia la vida eterna.
(Juan de Bonilla, XVI)

Nuestra época es un tiempo de agitación y de inquietud. Esta tendencia, evidente en la vida diaria de nuestros contemporáneos, se manifiesta también muy a menudo en el ámbito mismo de la vida cristiana y espiritual: nuestra búsqueda de Dios, de la santidad, del servicio al prójimo es también, frecuentemente, agitada y ansiosa, en lugar de ser confiada y apacible, como debería serlo si estuviésemos en actitud de niños pequeños, como pide el Evangelio.

Sin embargo es fundamental que comprendamos algún día que el camino hacia Dios y hacia la perfección que se nos exige es mucho más eficaz y breve, y mucho más fácil también, en la medida en que el hombre haya aprendido, poco a poco, a conservar en toda circunstancia la paz profunda de su corazón. Porque, de esta manera, el hombre se vuelve dócil al Espíritu Santo, y el Señor hace en él, por su gracia, mucho más que lo que él podría hacer por sus propios esfuerzos.

Esto es lo que querríamos hacerles comprender mediante las consideraciones de la primera parte. Pasaremos revista a continuación a todo un conjunto de situaciones, en las cuales nos encontramos con frecuencia, intentando explicar cómo enfrentarlas a la luz del Evangelio para conservar la paz interior.

En la tradición de la Iglesia, esta enseñanza ha sido a menudo enfocada por los maestros espirituales. La tercera parte es una selección de textos de autores de distintas épocas que retoman e ilustran los diversos temas planteados.

PRIMERA PARTE

La paz interior, camino de santidad

1. "Sin mí no pueden hacer nada" (Jn 15, 5)

Para comprender lo fundamental que es, para el desarrollo de la vida cristiana, esforzarse en adquirir y conservar en la mayor medida posible la paz del corazón, lo primero que debemos hacer es estar totalmente convencidos de que todo el bien que podemos hacer viene de Dios y sólo de Dios. *"Sin mí no pueden hacer nada"*, ha dicho Jesús (Jn 15, 5). No ha dicho: sin mí no pueden hacer gran cosa, sino "no pueden hacer nada". Es esencial para nosotros que estemos convencidos de esta verdad. Necesitaremos atravesar muchos fracasos, pruebas y humillaciones permitidas por Dios para que ella se nos imponga, no sólo en el plano de la inteligencia, sino como una experiencia de todo nuestro ser. Dios nos ahorraría si pudiera todas estas pruebas, pero son necesarias para convencernos de nuestra impotencia fundamental para hacer el bien por nosotros mismos. Según el testimonio de todos los santos, es indispensable para nosotros adquirir este conocimiento. Este es, en efecto, el preludio necesario a todas las grandes cosas que el Señor hará en nosotros por el poder de su gracia. Por esto la pequeña Teresa decía que la cosa más grande que el Señor había hecho en su alma era "haberle mostrado su pequeñez, su impotencia".

Si tomamos en serio las palabras del evangelio de Juan citadas anteriormente, comprenderemos entonces que el problema fundamental de nuestra vida espiritual es el siguiente: ¿cómo permitir que Dios actúe en mí? ¿Cómo permitir que la gracia de Dios opere libremente en mi vida?

El objetivo al que debemos tender es no tanto imponernos hacer una cantidad de cosas, por buenas que nos parezcan, con nuestra propia inteligencia, según nuestros proyectos, con nuestras habilidades, etc. Debemos, antes bien, intentar descubrir cuáles son las disposiciones de nuestra alma, las actitudes profundas del corazón, las condiciones espirituales que permitirán a Dios actuar en nosotros. Es sólo así que podremos dar fruto, y un *fruto que permanezca* (Jn 15, 16).

Ante la siguiente pregunta: "¿Qué debemos hacer para permitir que la gracia de Dios actúe libremente en nuestra vida?", no existe una sola respuesta, una receta para todos. Para responder a ella de manera integral, necesitaríamos hacer todo un tratado de vida cristiana, donde habláramos de la plegaria (de la oración principalmente, tan necesaria a este respecto...), de los sacramentos, de la purificación de nuestro corazón, de la docilidad al Espíritu Santo, etc., y de todos los medios por los cuales la gracia de Dios puede penetrar mejor en nosotros.

En esta pequeña obra, no queremos abordar todos esos temas. Queremos solamente fijarnos en un punto de la respuesta a la pregunta antes planteada. Y elegimos hablar de él, porque tiene una importancia absolutamente fundamental. Más aún, es demasiado poco conocido y tomado en consideración en la vida concreta de la mayoría de los cristianos, aun de aquellos muy generosos en su fe.

La verdad esencial que querríamos presentar y desarrollar es la siguiente: para permitir que la gracia de Dios actúe en nosotros, produciendo (con la colaboración, por supuesto, de nuestra voluntad, de nuestra inteligencia, de nuestras capacidades) todas esas *buenas obras que Dios dispuso de antemano para que nos ocupáramos en ellas* (Ef 2, 10), es de la mayor importancia que nos esforcemos en **adquirir y conservar la paz interior**, la paz de nuestro corazón.

Para comprender esto podemos emplear una imagen que puede resultar esclarecedora. Imaginemos la superficie de un lago sobre el cual brilla el sol. Si la superficie del lago está apacible y tranquila, el sol se reflejará en ella casi perfectamente, tanto más cuanto más apacible sea la superficie. Si, por el contrario, la superficie del lago está agitada y en movimiento, la imagen del sol no podrá reflejarse en él.

Algo así le ocurre a nuestra alma con respecto a Dios: cuanto más apacible y tranquila se encuentra, más Dios se refleja en ella, más su imagen se imprime en nosotros, más su gracia actúa a través de nosotros. Por el contrario, si nuestra alma está agitada e inquieta, la gracia de Dios actuará en ella con mayor dificultad. Todo el bien que podemos hacer es un reflejo de ese Bien esencial que es Dios. Cuanto más apacible, uniforme, abandonada esté nuestra alma, más se comunicará ese Bien a nosotros, y a los demás a través de mosotros. *El Señor dará fuerza a su pueblo, dará a su pueblo bendiciones de paz,* dice la Escritura (Sal 29, 11).

Dios es el Dios de la paz. No habla ni actúa sino en la paz; no lo hace en la inquietud ni en la agitación. Recordemos la experiencia del profeta Elías en el Horeb: Dios no estaba ni en el huracán, ni en el terremoto, ni en el fuego, sino en el *murmullo de una suave brisa* (cf. 1Rey 19).

A menudo nos agitamos y nos inquietamos queriendo resolver todo nosotros mismos, cuando sería mucho más eficaz quedarnos apaciblemente bajo la mirada de Dios y dejarlo actuar y obrar en nosotros con su sabiduría y su poder, infinitamente superior a los nuestros. *Así habla el Señor Yavé, el Santo de Israel: "En la conversión y en la calma estaba su salvación, y su seguridad en una perfecta confianza. Pero ustedes no lo han aceptado"* (Is 30, 15).

Nuestras palabras no son, entiéndanlo bien, una invitación a la pereza y a la inactividad. Son una invitación a actuar, incluso a actuar intensamente a veces, pero bajo el impulso del Espíritu de Dios, que es un espíritu dulce y pacífico. Y no en ese espíritu de inquietud, de agitación, de prisa excesiva, que a menudo es el nuestro. Nuestro celo, aún por Dios, está a veces mal iluminado. San Vicente de Paul, a quien nadie puede acusar de pereza, decía: "El bien que Dios hace se hace por sí solo, casi sin que nos demos cuenta. Debemos ser más pacientes que actuantes".

2. Paz interior y fecundidad apostólica

Esta búsqueda de la paz interior podría parecer a algunos muy egoísta: ¿cómo proponer éste como uno de los fines principales de nuestros esfuerzos, cuando hay tanto sufrimiento y miseria en el mundo?

A esto debemos en primer lugar responder que la paz interior a la cual nos referimos es la del Evangelio, que no tiene nada que ver con una especie de impasibilidad, de extinción de la sensibilidad, de fría indiferencia cerrada sobre sí misma –de la cual las estatuas de Buda, o ciertas actitudes de los yoguis parecen darnos una imagen. Por el contrario, como veremos a continuación, ella es el corolario necesario de un amor, de una sensibilidad real por los sufrimientos del prójimo, y de una auténtica compasión. Porque sólo esta paz del corazón nos libera de nosotros mismos, aumenta nuestra sensibilidad por el otro y nos vuelve disponibles para el prójimo.

Debemos agregar que sólo el hombre que goza de esta paz interior puede ayudar eficazmente a su hermano. ¿Cómo comunicar mi paz a los otros si yo no la tengo? ¿Cómo habrá paz en las familias, en las sociedades, entre las personas, si no hay primeramente paz en los corazones?

"Adquiere la paz interior, y una multitud encontrará su salvación junto a ti", decía san Serafín de Sarov. Para adquirir esta paz interior, el santo se esforzó por vivir, durante muchos años, en la conversión del corazón y la plegaria incesante. Dieciséis años monje, dieciséis años ermitaño más dieciséis años recluido en una celda, sólo comenzó a tener una proyección visible cuarenta y ocho años después de haber consagrado su vida al Señor. Pero entonces... ¡qué frutos! Miles de peregrinos venían a él y se alejaban reconfortados, libres de todas sus dudas e inquietudes, esclarecidos respecto de su vocación, sanados en sus cuerpos o en sus almas.

La frase de san Serafín no hace más que testimoniar su experiencia personal, idéntica a la de tantos otros santos. La adquisición y la conservación de la paz interior, imposible sin la oración, debería entonces ser considerada como una prioridad por toda persona, sobre todo por aquéllos que pretenden hacer algún bien a su prójimo. Sin esto, no harán, a menudo, más que comunicar al otro sus propias inquietudes y su propia agitación.

3. Paz y combate espiritual

Debemos sin embargo afirmar otra verdad, no menos importante que aquella enunciada precedentemente: la vida cristiana es un combate, una guerra sin tregua. San Pablo, en su carta a los Efesios, nos invita a revestirnos de la *armadura de Dios para luchar no contra las fuerzas humanas, sino con los poderes y autoridades que dirigen este mundo y sus fuerzas oscuras, los espíritus y fuerzas malas del mundo de arriba* (Ef 6, 11-13). Y detalla todas las partes de esa armadura que debemos ponernos (cf. Ef 6, 14-18).

Cada cristiano debe estar bien convencido de que su vida espiritual no puede, de ninguna manera, ser el desarrollo tranquilo de una vida pequeña sin historia, sino que ella debe ser el campo en el cual se desarrolle una lucha constante y a veces dolorosa, que sólo acabará con la muerte: lucha contra el mal, contra las tentaciones y contra el pecado que se encuentra en él. Este combate es inevitable, pero debe ser entendido como una realidad extremadamente positiva. Porque "sin guerra no existe la paz" (santa Catalina de Siena); sin combate no existe la victoria. Y este combate es adecuadamente el lugar de nuestra purificación, de nuestro crecimiento espiritual, en donde aprendemos a conocernos nosotros mismos en nuestra debilidad y a conocer a Dios en su infinita misericordia; este combate es, en definitiva, el lugar de nuestra transfiguración y de nuestra glorificación.

Pero el combate espiritual del cristiano, si bien es a veces duro, no es, de ninguna manera, la lucha desesperada de quien pelea ciegamente y en soledad, sin certeza alguna del desenlace de este enfrentamiento. Es el combate de quien lucha con la certeza absoluta de que la victoria ya está lograda, pues el Señor ha resucitado: *"No llores más; acaba de triunfar el león de la tribu de Judá"* (Apoc 5, 5). Él no combate con sus propias fuerzas, sino con las del Señor, que le dice: *"Te basta mi gracia; mi mayor fuerza se manifiesta en la debilidad"* (2Cor 12, 9), y su principal arma no es la firmeza natural del carácter o la habilidad humana, sino la fe, esa adhesión total a Cristo que le permite, aún en los peores momentos, abandonarse con confianza ciega a Aquél que no puede abandonarlo. *"Todo lo puedo en Aquél que me fortalece"* (Flp 4, 13). *"El Señor es mi luz y mi salvación ¿A quién he de temer?"* (Sal 27).

El cristiano combate entonces, a veces con violencia, pues ha sido llamado a *"resistir hasta la sangre"* (Heb 12, 4)en la lucha contra el pecado, pero combate con un corazón apacible, y su combate es tanto más eficaz cuanto más apacible es su corazón. Porque, como ya hemos dicho, es justamente esta paz interior la que le permite luchar, no con sus propias fuerzas, que se agotarían rápidamente, sino con las de Dios.

4. La paz es, frecuentemente, lo que está en juego en la lucha

Debemos precisar algo más todavía. El creyente, en toda batalla, por grande que sea la violencia de la misma, se esforzará en cuidar la paz de su corazón para dejar que el Dios de los Ejércitos luche en él. Pero es, además, necesario que tenga conciencia clara de esto: la paz interior no es sólo una condición del combate espiritual; sino que es a menudo lo que está en juego en el mismo. Muy frecuentemente el combate espiritual consiste precisamente en eso: defender la paz del corazón contra el enemigo que se esfuerza por arrebatárnosla.

En efecto, una de las estrategias más habituales del demonio para alejar a un alma de Dios, para frenar su progreso espiritual, consiste en intentar hacerle perder la paz interior. He aquí lo que dice Lorenzo Scupoli, uno de los grandes maestros espirituales del siglo XVI y muy apreciado por san Francisco de Sales: "El demonio hace todos esos esfuerzos para abolir la paz de nuestro corazón porque sabe que Dios vive en la paz, y es en esa paz en donde obra grandes cosas".

Es muy útil que recordemos esto, porque sucede muy a menudo, en el transcurrir cotidiano de nuestra vida cristiana, que nos equivocamos, podríamos decir, de batalla, que orientamos mal nuestros esfuerzos. Luchamos en el terreno al que el demonio nos lleva sutilmente y en el cual él puede vencernos, en vez de combatir en el verdadero campo de batalla donde, por el contrario, con la gracia de Dios, podemos estar siempre seguros de vencer. Y éste es uno de los grandes "secretos" de la lucha espiritual: no nos equivoquemos de combate, sepamos discernir, a pesar de las tretas del adversario, cuál es el verdadero campo de batalla, contra qué debemos en realidad luchar, hacia dónde debemos orientar nuestros esfuerzos.

Creemos, por ejemplo, que ganar el combate espiritual significa vencer todos nuestros defectos, no sucumbir jamás a la tentación, no tener ya nunca más debilidades ni desfallecimientos. Pero, luchando en ese terreno, ¡estamos ya infaliblemente vencidos! Porque, ¿quién de nosotros puede pretender no caer jamás? Y no es eso ciertamente lo que Dios exige de nosotros, *porque sabe de qué fuimos formados (y) se recuerda que sólo somos polvo* (Sal 103, 14).

El verdadero combate espiritual, por el contrario, más que la búsqueda de una invencibilidad y de una infalibilidad absolutamente fuera de nuestro alcance, consiste principalmente en aprender a aceptar nuestras faltas ocasionales, sin descorazonarnos por ello, en no perder la paz de nuestro corazón cuando caemos lamentablemente, en no entristecernos excesivamente por nuestros defectos y en saber aprovechar nuestras caídas como trampolín para subir aún más alto... Lo que siempre es posible, pero a condición de no enloquecernos y permanecer en paz...

Podríamos entonces, con razón, enunciar este principio: la primera meta del combate espiritual, aquella hacia la cual deben tender en primer lugar todos nuestros esfuerzos, **no es obtener siempre la victoria** (sobre nuestras tentaciones, nuestras debilidades), sino más bien **aprender a mantener nuestro corazón en paz en toda circunstancia, aun en la derrota.** Porque es sólo así que podremos alcanzar la otra meta, que es la eliminación de nuestras caídas, de nuestros defectos, imperfecciones y pecados. Puesto que esta victoria final debe ser querida y deseada por nosotros, pero sabiendo que no serán nuestras fuerzas las que la lograrán, y no pretendiendo, por lo tanto, alcanzarla de inmediato. Es sólo la gracia de Dios la que nos conseguirá la victoria, gracia cuya acción será tanto más poderosa y rápida cuanto más sepamos mantener nuestro interior en la paz y el abandono confiado en las manos de nuestro Padre del Cielo.

5. Las razones por las cuales perdemos la paz son siempre malas razones

Uno de los aspectos dominantes del combate espiritual es la lucha en el plano de los pensamientos. Luchar significa a menudo oponer, a los pensamientos que provienen de nuestro propio espíritu o del ambiente que nos rodea, o aún, a veces, del enemigo (poco importa su origen...) y que nos llevan a la confusión, al temor, al desaliento, otros pensamientos que puedan reconfortarnos y restablecernos en la paz. Frente a este combate, *feliz el hombre que con tales flechas ha llenado su aljaba* (Sal 127, 5), con esas flechas que son los buenos pensamientos, es decir, con esas convicciones sólidas basadas en la fe, que nutren la inteligencia y fortifican el corazón en el momento de la prueba.

Entre estas *flechas en la mano del guerrero,* una de las afirmaciones de la fe que debe vivir siempre dentro de nosotros es que **todas las razones que tenemos para perder la paz son malas razones.**

Esta convicción no puede ciertamente fundamentarse sobre consideraciones humanas. No puede ser más que una certidumbre de la fe, fundada sobre la Palabra de Dios. Jesús nos ha dicho claramente que ella no descansa sobre las razones del mundo: *"Les dejo la paz, les doy mi paz.* **La paz que yo les doy no es como la que da el mundo.** *Que no haya en ustedes ni angustia ni miedo..."* (Jn 14, 27).

Si buscamos la paz *"como la que da el mundo",* si esperamos nuestra paz de las razones del mundo, de los motivos que, según la mentalidad del ambiente que nos rodea, necesitamos tener para estar en paz (que todo nos vaya bien, que no tengamos contrariedades, que nuestros deseos estén plenamente satisfechos, etc.), es seguro que no estaremos jamás en paz, o que ésta será extremadamente frágil y de corta duración.

18

Para nosotros creyentes, la razón esencial en virtud de la cual podemos estar siempre en paz no proviene del mundo. *"Mi realeza no procede de este mundo"* (Jn 18, 36). Nace de la confianza en la Palabra de Jesús.

Cuando el Señor afirma que nos deja la paz, que nos da su paz, esta palabra es palabra divina, palabra que tiene la misma fuerza creadora que la que hizo surgir de la nada el cielo y la tierra, el mismo peso que la palabra que caimó la tempestad, la que curó a los enfermos y resucitó a los muertos. Porque Jesús nos dice, y dos veces seguidas, que nos da su paz, creemos que esta paz nunca nos es quitada. *"Porque Dios no se arrepiente de su llamado ni de sus dones"* (Rom 11, 29). Somos nosotros quienes no sabemos siempre acogerlos ni conservarlos. Porque, muy a menudo, nos falta la fe...

"Les he hablado de estas cosas para que tengan paz en mí. Ustedes encontrarán la persecución en el mundo. Pero, ánimo. Yo he vencido al mundo" (Jn 16, 33). Siempre podemos permanecer en paz en Jesús, porque Él ha vencido al mundo, porque ha resucitado de entre los muertos. Por su muerte ha vencido a la muerte, ha anulado la sentencia de condena que pesaba sobre nosotros. Ha manifestado la benevolencia de Dios para con nosotros. Y, *"Si Dios está con nosotros, ¿quién estará contra nosotros?... ¿Quién nos separará del amor de Cristo?"* (Rom 8, 31-35).

Partiendo de este fundamento inquebrantable de la fe, examinaremos ahora ciertas situaciones en las cuales, frecuentemente, perdemos en mayor o menor medida la paz de nuestro corazón. Buscaremos poner en evidencia, a la luz de la fe, la inutilidad de turbarnos de esta forma.

Pero antes será útil hacer ciertos comentarios, para precisar a quiénes se dirigen y para quiénes son válidas las consideraciones que haremos sobre este tema.

6. La buena voluntad, condición necesaria de la paz

La paz interior de la que hablamos no puede ser considerada como herencia de todos los hombres, independientemente de su actitud con respecto a Dios.

El hombre que se opone a Dios, que en forma más o menos consciente huye de Él, o de algunos de sus llamados o exigencias, no podrá estar nunca en paz. Cuando un hombre está cerca de Dios, ama y desea servir al Señor, la estrategia habitual del demonio es hacerle perder la paz de su corazón, mientras que Dios, por el contrario, viene en su ayuda para devolvérsela. Pero esta ley se invierte en la persona cuyo corazón está lejos de Dios, que vive en la indiferencia y en el mal: el demonio busca tranquilizarlo, mantenerlo en una falsa quietud, mientras que el Señor, que desea su salvación y su conversión, turbará e inquietará su conciencia para intentar llevarlo al arrepentimiento.

Ningún hombre puede estar en una paz profunda y duradera si está alejado de Dios, si su voluntad más íntima no está totalmente orientada hacia Él: "Nos has hecho para ti, Señor, y nuestro corazón está inquieto mientras no descansa en ti" (San Agustín).

Una condición necesaria para la paz interior es, entonces, lo que podríamos llamar la **buena voluntad**. Podríamos llamarla también la pureza del corazón. Es la disposición constante y estable del hombre decidido a amar a Dios sobre todas las cosas, que desea sinceramente preferir, en toda circunstancia, la voluntad de Dios a la propia. Que no quiere conscientemente rehusar nada a Dios. Puede ser (y podemos decir ciertamente...) que en la vida diaria su comportamiento no esté en armonía perfecta con este deseo, con esta intención. Habrá muchas imperfecciones en el cumplimiento de este deseo. Pero sufrirá por ello, pedirá perdón al Señor, buscará corregirlas. Después de los eventuales momentos de desfallecimiento, se esforzará por volver a esta disposición habitual de querer decir sí a Dios, en todas las cosas, sin excepción.

Esta es la buena voluntad. No es la perfección, la santidad alcanzada, porque puede muy bien coexistir con dudas, con imperfecciones, hasta con faltas. Pero es el camino, porque es justamente esta disposición habitual del corazón (cuyo fundamento se encuentra en las virtudes de la fe, la esperanza y la caridad) la que permite a la gracia de Dios llevarnos poco a poco hacia la perfección.

Esta buena voluntad, esta determinación habitual a decir que sí a Dios, tanto en las cosas grandes como en las pequeñas, es una condición sine qua non de la paz interior. En tanto no hayamos adquirido esta determinación, una cierta inquietud y una cierta tristeza vivirán incesantemente en nosotros: la inquietud de no amar a Dios tanto como Él nos invita a amarlo. La tristeza de no haber aún dado todo a Dios. Porque el hombre que ha dado su voluntad a Dios ya ha dado, de alguna manera, todo. No podemos estar verdaderamente en paz mientras nuestro corazón no haya encontrado así su unidad, y el corazón no estará unificado hasta que todos nuestros deseos estén subordinados al deseo de amar a Dios, de complacerlo y de hacer su voluntad. Eso implica también, por supuesto, la determinación habitual a separarnos de todo aquello que sea contrario a Dios. He aquí en qué consiste la buena voluntad, condición necesaria para la paz del alma.

7. La buena voluntad, condición suficiente para la paz

Pero, recíprocamente, podemos afirmar también que esta buena voluntad basta para tener el derecho de mantener el corazón en paz. Aún cuando, a pesar de ello, tengamos aún muchos defectos y desfallecimientos: *"Paz en la tierra a los hombres de buena voluntad"*, como dice el texto latino de la Vulgata. En efecto, ¿qué nos pide Dios, sino esta buena voluntad? ¿Qué más podría exigirnos el Señor, que es un Padre bueno y compasivo, que ver a sus hijos deseando amarlo por sobre todo, sufriendo por no amarlo lo suficiente, y dispuestos, aún cuando se reconozcan incapaces de ello, a desprenderse de todo lo que sea contrario a Él? ¿No le corresponde entonces a Dios mismo intervenir y llevar a su fin esos deseos que el hombre por sus propias fuerzas es incapaz de lograr totalmente?

En apoyo de lo que acabamos de decir -que la buena voluntad es suficiente para hacernos agradables a Dios y, por lo tanto, para que estemos en paz-, he aquí un episodio de la vida de santa Teresa del Niño Jesús contada por su hermana Celina:

> En una circunstancia en la cual la hermana Teresa me había mostrado todos mis defectos, me sentía un poco triste y desamparada. Yo, que tanto deseo poseer la virtud- pensaba- ¡qué lejos me encuentro de ello! Querría tanto ser dulce, paciente, humilde, caritativa... ¡ah, no lo lograré nunca!... Sin embargo, por la noche, en la oración, leí que al expresar santa Gertrudis este mismo deseo, Nuestro Señor le había respondido: "En todas las cosas y por encima de todo, ten buena voluntad; esta sola disposición dará a tu alma el brillo y el mérito especial de todas las virtudes. Quien posea buena voluntad, deseos sinceros de procurar mi gloria, de darme gracias, de compartir mis sufrimientos, de amar-

me y de servirme tanto como todas las criaturas juntas, éste recibirá indudablemente recompensas dignas de mi liberalidad, y su deseo le será a veces más provechoso que a otros sus buenas obras".

Muy contenta ante estas buenas palabras –continúa Celina– se las comuniqué a nuestra Pequeña Maestra (Teresa), quien agregó aún más: "¿Has leído lo que se cuenta en la vida del Padre Surin? Hacía un exorcismo, y los demonios le dijeron: —'Podemos llevar a cabo todo, es sólo a esta pequeña perra de la buena voluntad a la que no podemos resistir'. Y bien, si no tienes virtud, tienes una 'pequeña perra' que te salvará de todos los peligros, ¡consuélate, te llevará al Paraíso! Ah, ¿dónde está el alma que no desea poseer la virtud? Es lo que todos quieren. ¡Pero que pocos son los que aceptan caer, ser falibles, que se contentan con verse caídos y que los otros lo sepan!" (*Consejos y Recuerdos de la Hermana Genoveva*).

Como vemos por este texto, el concepto que Teresa (la mayor santa de los tiempos modernos, según el testimonio del Papa Pío XI) tenía de la perfección no es aquél que nos surge espontáneamente. Pero ya volveremos sobre este punto. Contentémonos, por el momento, recordando lo que concierne a la buena voluntad. Y pasemos a lo que habíamos anunciado: a examinar las distintas razones por las cuales perdemos frecuentemente la paz de nuestro corazón.

SEGUNDA PARTE

Cómo reaccionar ante lo que nos hace perder la paz

1. Las preocupaciones de la vida y el temor a la pérdida

La causa más frecuente que nos lleva a perder la paz interior es el temor provocado por ciertas situaciones que nos tocan en lo personal, y en las cuales nos sentimos amenazados: aprensión ante las dificultades presentes o futuras, el temor a carecer de algo importante, de fracasar en éste o aquél proyecto, etc. Los ejemplos son infinitos, y se relacionan con todos los sectores de nuestra vida: la salud, la vida familiar y profesional, hasta con la misma vida moral y espiritual.

En verdad, se trata en cada ocasión de un bien de naturaleza muy variable, que puede ser material (dinero, salud, energía), moral (capacidades humanas, estima, el afecto de ciertas personas) o aun espiritual, que deseamos o creemos necesario, y que tememos perder, o no poder adquirir, o del cual efectivamente carecemos. Y la inquietud provocada por la pérdida, o por el temor a la pérdida, no nos permite vivir en paz.

¿Qué es lo que puede permitirnos conservar la paz frente a este tipo de situaciones? Los recursos y la sabiduría humanas, con sus precauciones y previsiones, sus reservas y seguridades de todo tipo no son, en verdad, suficientes. ¿Quién puede garantizar para sí mismo la posesión segura de un bien, cualquiera que sea su naturaleza? No es a fuerza de cálculos y preocupaciones que vamos a salir de este problema. *"¿Quién de ustedes, por más que se preocupe, puede añadir algo a su estatura?"* (Mt 6, 27). Ningún hombre puede estar seguro de conseguir lo que desea, y todo lo que tiene puede escapársele de sus manos de un día para otro... no existe ninguna garantía sobre la cual pueda apoyarse con certeza... Y no es ciertamente éste el camino que nos enseña Jesús. Él nos dice lo contrario: *"Pues el que quiera asegurar su vida la perderá"* (Mt 16, 25).

Hasta puede decirse que el medio más seguro de perder la paz es, precisamente, buscar asegurar la propia vida con ayuda sólo del esfuerzo humano, de los proyectos y decisiones personales, o apoyándose en algún otro. ¡En qué inquietudes y tormentos se coloca quien busca "salvarse" así, teniendo en cuenta nuestra impotencia, considerando lo limitado de nuestras fuerzas, la imposibilidad de prever tantas cosas, las desilusiones que pueden causarnos las personas con quienes contamos!

Para conservar la paz en medio de las incertidumbres de la existencia humana, tenemos sólo una solución: apoyarnos sólo en Dios, con una confianza total en Él, como el *"Padre del Cielo (que)... sabe que necesitan todo eso"* (Mt 6, 32).

"Por eso yo les digo: no anden preocupados por su vida con problemas de alimentos, ni por su cuerpo con problemas de ropa. ¿No es más importante la vida que el alimento y más valioso el cuerpo que la ropa? Fíjense en las aves del cielo: no siembran ni cosechan, no guardan alimentos en graneros, y sin embargo el Padre del Cielo, el Padre de ustedes, las alimenta. ¿No valen ustedes mucho más que las aves? ¿Quién de ustedes, por más que se preocupe, puede añadir algo a su estatura?

Y ¿por qué se preocupan tanto por la ropa? Miren cómo crecen las flores del campo, y no trabajan ni tejen. Pero yo les digo que ni Salomón, con todo su lujo, se pudo vestir como una de ellas. Y si Dios viste así el pasto del campo, que hoy brota y mañana se echa al fuego, ¿no hará mucho más por ustedes? ¡Qué poca fe tienen! No anden tan preocupados ni digan: ¿tendremos alimentos?, o ¿qué beberemos?, o ¿tendremos ropas para vestirnos? Los que no conocen a Dios se afanan por esas cosas, pero el Padre del Cielo, Padre de ustedes, sabe que necesitan todo eso. Por lo tanto, busquen primero el Reino y la Jus-

ticia de Dios, y se les darán también todas esas cosas. No se preocupen por el día de mañana, pues el mañana se preocupará por sí mismo. A cada día le bastan sus problemas" (Mt 6, 25-32).

Jesús no quiere, evidentemente, prohibirnos hacer lo necesario para ganar nuestro sustento, vestirnos y proveer a nuestras otras necesidades. Pero quiere librarnos de la preocupación que atormenta y hace perder la paz.

Sin embargo, a muchas personas les chocan estas palabras y no las aceptan plenamente; hasta se escandalizan ante esta forma de ver las cosas. Sin embargo, cuántos sufrimientos y tormentos inútiles se ahorrarían si quisieran tomar en serio estas palabras que son palabra de Dios, y palabra de amor, de consuelo y de ternura extraordinaria.

Nuestro gran drama se encuentra aquí: el hombre no tiene confianza en Dios, y busca por ello en todos los dominios arreglárselas por sus propios medios, sintiéndose muy desgraciado, en lugar de abandonarse con confianza entre las manos dulces y amantes de su Padre celestial. Y sin embargo, ¡qué injustificada es esta falta de confianza! ¿No es absurdo que un hijo dude así de su Padre, cuando este Padre es el mejor y el más poderoso que puede existir, cuando es el Padre del Cielo?...

A pesar de ello vivimos muy a menudo en este absurdo. Escuchemos el dulce reproche que nos dirige el Señor por boca de santa Catalina de Siena:

"¿Por qué no tienes confianza en mí, tu Creador? ¿Por qué cuentas contigo mismo? ¿No he sido fiel y leal contigo? ...Redimido y restaurado en la gracia en virtud de la sangre de mi Hijo único, el hombre puede decir entonces que ha experimentado mi fidelidad. Y sin embargo duda todavía, parece, de que yo sea suficientemente poderoso para socorrerlo, suficientemente fuerte para ayudarlo y defenderlo contra sus enemigos, suficientemente sabio como para iluminar su inteligencia, o que tenga suficiente clemencia como para querer darle lo que es necesario a su salvación. Parece creer que yo no lo soy suficientemente rico como para hacer su fortuna, ni lo suficientemente bello como para devolverle la belleza; se diría que teme no encontrar en mí pan para nutrirle ni vestidos para cubrirlo" (Dialogue, ch. 140, Ed. Tequi).

Cuántos jóvenes, por ejemplo, dudan en entregar totalmente su vida a Dios porque no tienen confianza en que Dios sea capaz de hacerlos plenamente felices ¡Y buscan asegurar por sí mismos su felicidad, y se vuelven tristes y desgraciados!

Aquí se encuentra la gran victoria del Padre de la Mentira, del Acusador: cuando logra meter en el corazón de una criatura de Dios la desconfianza frente a su Padre.

Y sin embargo venimos al mundo marcados por esta desconfianza: allí está el pecado original. Y toda nuestra vida espiritual consiste precisamente en un largo proceso de reeducación, para reencontrar esta confianza perdida, por la gracia del Espíritu Santo, que nos haga decir a Dios nuevamente: *"¡Abba, Padre!"*.

Pero es verdad que este "retorno a la confianza" es para nosotros muy difícil, largo y penoso. Existen dos obstáculos principales.

2. Nuestra dificultad para creer en la Providencia

El primer obstáculo es que, en tanto no hayamos experimentado concretamente esta fidelidad de la Providencia divina para proveer a nuestras necesidades esenciales, nos cuesta creer y abandonarnos realmente a ella. Somos testarudos, la palabra de Jesús no nos basta, queremos ver -al menos un poco- para creer. Ahora bien, no la vemos actuar a nuestro alrededor de manera clara... ¿Cómo tener entonces la experiencia?

Importa que sepamos una cosa: sólo podemos experimentar este apoyo de Dios si le dejamos el espacio necesario para que pueda expresarse. Querría hacer una comparación: mientras una persona que debe saltar en paracaídas no se haya arrojado al vacío, no podrá sentir que las cuerdas del paracaídas la sostienen, porque éste no ha tenido aún la posibilidad de abrirse. Es necesario primero saltar; sólo entonces podrá sentirse llevado. Ocurre también así en la vida espiritual: "Dios da en la medida de aquello que esperamos de Él", dice san Juan de la Cruz. Y san Francisco de Sales: "La medida de la Providencia divina sobre nosotros es la confianza que tenemos en ella". Y allí se encuentra el verdadero problema. Muchos no creen en la Providencia porque no han tenido nunca la experiencia, y no hacen la experiencia porque nunca hacen el salto al vacío, el paso de la fe; no le dejan la posibilidad de intervenir: calculan todo, prevén todo, buscan resolver todo contando consigo mismos en lugar de contar con Dios. Los fundadores de órdenes religiosas avanzan con audacia en este espíritu de fe, compran casas sin tener un centavo, acogen a los pobres sin tener con qué alimentarlos: entonces Dios realiza para ellos milagros, los cheques llegan, los graneros se llenan. Pero, demasiado a menudo, algunas generaciones más tarde, todo está planificado, contabilizado, no se compromete un gasto sin tener de antemano la seguridad de tener con qué cubrirlo. ¿Cómo podría manifestarse aquí la Providencia? Y esto vale también en el plano espiritual. Si un sacerdote redacta todos sus sermones y sus conferencias hasta la última coma, para estar seguro de no encontrarse nunca desprevenido ante su auditorio, sin tener jamás la audacia de lanzarse a predicar con la oración y la confianza en Dios que proveerá, como sola preparación, ¿cómo podría tener la experiencia tan bella del Espíritu Santo que habla por su boca, según las palabras del Evangelio: *"No se preocupen por lo que van a decir, ni cómo han de hablar. Llegado ese momento, se les comunicará lo que tengan que decir. Pues no serán ustedes los que hablarán, sino el Espíritu de su Padre el que hablará en ustedes"* (Mt 10, 19).

Seamos bien claros: no queremos evidentemente decir que sea algo malo ser previsor, hacer un presupuesto o preparar los sermones. Nuestras capacidades naturales son también un instrumento en manos de la Providencia. Pero todo depende del estado espiritual en el cual lo hagamos. Debemos comprender que hay una enorme diferencia en la actitud del corazón de quien, por temor de encontrarse en falta y porque no cree en la intervención de Dios en favor de quienes cuentan con Él, programa todo de antemano, hasta en los últimos detalles, y no emprende nada sino en la medida de sus posibilidades actuales, y la de quien hace lo que es legítimo, pero se abandona con confianza en Dios para proveer todo lo que le sea pedido y que sobrepase sus posibilidades. Y lo que Dios nos pide va siempre más allá de las posibilidades humanas naturales.

3. El temor al sufrimiento

El otro gran obstáculo a' abandono es la presencia del sufrimiento, en nuestra propia vida y en el mundo que nos rodea. Dios permite el sufrimiento, aún en aquellos que se entregan a Él, les deja faltar ciertas cosas de manera a veces dolorosa. Veamos la pobreza en la cual vivió la familia de la pequeña Bernadette de Lourdes. ¿No es esto una desmentida de las palabras del Evangelio? No, porque el Señor puede permitir que nos falten algunas cosas (juzgadas a veces indispensables a los ojos del mundo), pero no nos dejará jamás privados de lo esencial: de su presencia, de su paz, y de todo lo que sea necesario para la realización plena de nuestras vidas según sus proyectos. Si permite sufrimientos, nuestra fuerza consistirá entonces en creer, como dijo santa Teresa de Lisieux, que "Dios no permite sufrimientos inútiles".

Tanto en el dominio de nuestra existencia personal, como en el de la historia del mundo, debemos estar convencidos, si queremos llegar hasta el fondo de nuestra fe cristiana, de que Dios es suficientemente bueno y suficientemente poderoso como para utilizar todo el mal, cualquiera que sea, todo sufrimiento, por absurdo e inútil que parezca, en nuestro favor. No podemos tener ninguna certeza matemática ni filosófica acerca de esto; sólo puede ser un acto de fe. Pero es precisamente a este acto de fe al que nos invita la proclamación de la Resurrección de Jesús, comprendida y recibida como la victoria definitiva de Dios sobre el mal.

El mal es un misterio, un escándalo, y seguirá siéndolo siempre. Es necesario hacer lo posible para eliminarlo, para aliviar el sufrimiento, pero siempre está presente en nuestra historia personal y en la del mundo. Su lugar en la economía de la Redención compete a la Sabiduría de Dios, que no es la sabiduría de los hombres; que siempre tendrá algo de incomprensible. *"Pues sus proyectos no son los míos, y mis caminos no son los mismos de ustedes, dice Yavé. Así como el cielo está muy alto por encima de la tierra, así también mis caminos se elevan por encima de sus caminos, y mis proyectos son muy superiores a los de ustedes"* (Is 55, 9).

En algunos momentos de su vida el cristiano será pues necesariamente invitado a creer contra todas las apariencias, a *"esperar contra toda esperanza"* (Rom 4, 18). Existen inevitablemente circunstancias en las cuales no podemos comprender el porqué del accionar de Dios. Porque no se trata ya de la sabiduría de los hombres, una sabiduría a nuestro alcance, comprensible, explicable por la inteligencia humana, sino la Sabiduría divina, misteriosa e incomprensible, que interviene entonces.

¡Felizmente no podemos comprenderla siempre! ¿Cómo podríamos dejar actuar entonces a la sabiduría de Dios según sus designios? ¿Dónde habría lugar para la confianza? Es verdad que, en muchas cosas, no haríamos lo que Dios hace. ¡No hubiéramos elegido la locura de la Cruz como medio de Redención! Pero afortunadamente, es la Sabiduría de Dios y no la nuestra la que dirige todas las cosas, porque es infinitamente más poderosa y amante, y sobre todo más misericordiosa que la nuestra.

Y si la Sabiduría de Dios es incomprensible en sus caminos, en su manera de actuar a veces desconcertante respecto de nosotros, digámonos que ésa es la prenda de que será también incomprensible en lo que prepara para quienes esperan en Ella: lo que prepara sobrepasa infinitamente en gloria y en belleza todo lo que podamos imaginar no concebir: *"Ni ojo vio, ni oído oyó, ni por mente humana han pasado las cosas que Dios ha preparado para los que lo aman"* (1Cor 2, 9).

La sabiduría del hombre sólo puede producir obras a la medida del hombre; sólo la Sabiduría divina puede realizar obras divinas, y es a las grandezas divinas a las que ella nos destina. He aquí entonces la que debe ser nuestra fuerza frente a la pregunta del mal: no una respuesta filosófica sino una confianza de niño en Dios, en su Amor y en su Sabiduría. La certeza de que *"Dios dispone todas las cosas para bien de los que lo aman"* (Rom 8, 28), y de que *"los sufrimientos de la vida presente no se pueden comparar con la Gloria que nos espera y que ha de manifestarse"* (Rom 8, 18).

4. Para crecer en la confianza: una oración de niño

Y ¿cómo crecer en esta confianza total en Dios, cómo sostenerla y nutrirla en nosotros? Ciertamente, no serían suficientes las consideraciones teológicas ni las especulaciones intelectuales –ellas no resistirían en el momento de la prueba–, sino mediante una negrita mirada de contemplación sobre Jesús.

Contemplar a Jesús que da su vida por nosotros, nutrirnos de ese "amor desmedido" que nos expresa en la Cruz; ¡he aquí lo que verdaderamente inspira confianza! ¿Cómo sería posible que esta prueba suprema de amor –*"no hay amor más grande que dar la vida por sus amigos"* (Jn 15, 13)–, incansablemente contemplada, captada por una mirada de amor y de fe, no fortificara poco a poco nuestro corazón en una confianza inquebrantable? ¿Cómo se puede dudar de un Dios que nos ha manifestado su amor de una manera tan evidente? ¿Cómo no estará Él **para nosotros**, entera y absolutamente **a nuestro favor**? ¿Cómo no hará todo por nosotros este Dios amigo de los hombres que *"no vaciló en entregarnos a su propio Hijo, siendo así que éramos pecadores"?* Y *"si Dios está con nosotros, ¿quién estará contra nosotros?".* Si Dios está con nosotros, ¿qué mal podría alcanzarnos?

Vemos así la necesidad absoluta de la contemplación para crecer en la confianza. A fin de cuentas, muchas personas viven en la inquietud porque no son contemplativos, porque no se toman el tiempo de nutrir su propio corazón y devolverle la paz con una mirada de amor puesta sobre Jesús. Para resistir al temor, al abatimiento, es necesario que, mediante la oración, mediante una experiencia personal de Dios reencontrado, reconocido y amado en la plegaria, podamos *"gustar y ver cuán bueno es el Señor"* (Cf. Sal 34). Las certezas que deposita en nosotros el hábito de la plegaria son mucho más fuertes que las que surgen del razonamiento, o aun de la más alta teología.

¡Qué incesantes son los asaltos del mal, los pensamientos de desaliento y de incredulidad! En la misma forma, para resistir a ellos, nuestra plegaria debe ser incesante e incansable. Cuántas veces me ha ocurrido ir a hacer la hora cotidiana de adoración del Santísimo Sacramento en un estado de preocupación o desaliento y, sin que haya ocurrido nada en particular, sin decir ni experimentar cosas especiales, salir con el corazón en paz. La situación exterior seguía siendo la misma, los problemas estaban sin resolver, pero el corazón había cambiado y podía por lo tanto enfrentarlos en paz. El Espíritu Santo había hecho su trabajo secreto.

No se insistirá nunca demasiado en la necesidad de la plegaria de oración silenciosa, verdadera fuente de paz interior. ¿Cómo abandonarse a Dios y tener confianza en Él, si no se le conoce más que de lejos, *"de oídas"*? *"Yo te conocía sólo de oídas, pero ahora te han visto mis ojos"* (Job 42, 5). El corazón no se despierta a la confianza sino cuando se despierta al amor, y tenemos necesidad de experimentar la dulzura y la ternura del Corazón de Jesús. Esto sólo se logra con el hábito de la oración, de este dulce reposo en Dios que es la plegaria contemplativa.

Aprendamos entonces a abandonarnos, a tener confianza total en Dios tanto en las grandes cosas como en las pequeñas, con la simplicidad de los niños. Y Dios manifestará su ternura, su previsión, su fidelidad de una manera a veces conmovedora. Si Dios nos trata en algunos momentos aparentemente con una fuerte rudeza, tiene también delicadezas imprevistas de las que sólo puede ser capaz un amor tierno y puro como el suyo. San Juan de la Cruz, al fin de su vida, camino al convento donde iba a terminar sus días, enfermo, agotado, sin fuerzas, se sienta sobre una piedra al borde del camino para tomar aliento. Piensa entonces con anhelo en los espárragos que comía en su infancia. Cerca de la piedra en la que está sentado encuentra, milagrosamente dejado allí, un atado de espárragos.

En medio de nuestras pruebas tendremos la experiencia de estas delicadezas del Amor. No están reservadas a los santos. Son para todos los pobres que creen verdaderamente que Dios es su Padre. Serán para nosotros un poderoso estímulo para abandonarnos, mucho más eficaz que todos los razonamientos.

Y creo que allí está la verdadera respuesta al misterio del mal y del sufrimiento. Respuesta no filosófica sino existencial: al ejercitarme en el abandono, realizo la experiencia concreta de que, efectivamente, "funciona", de que Dios hace que todo concurra a mi bien, aun el mal, aun mis sufrimientos, aun mis propios pecados. Cuántas situaciones, que yo temía, al vivirlas me aparecen a fin de cuentas soportables, y finalmente, beneficiosas, después de su primer impacto doloroso. Lo que yo creía ser contra mí se revela de hecho a mi favor. Entonces me digo: lo que Dios hace por mí en su infinita Misericordia, debe también hacerlo por todos los otros, de manera escondida y misteriosa; debe hacerlo también para el mundo entero.

5. Uno se abandona totalmente o no lo hace...

A propósito del abandono, será útil hacer una observación. Para que el abandono sea auténtico y engendre la paz, es necesario que sea total. Que pongamos todo, sin excepción, en las manos de Dios, no buscando nunca interferir, "salvar" por nuestros medios, ni en el dominio material, ni afectivo, ni espiritual. No se puede recortar la existencia humana en sectores: algunos en los cuales sería legítimo abandonarse en Dios con confianza y otros, por el contrario, en los cuales uno debería "arreglárselas" exclusivamente por cuenta propia. Y sepamos una cosa: toda realidad que no hayamos abandonado, que queramos manejar por nuestra cuenta sin dar "carta blanca" a Dios, seguirá de alguna manera inquietándonos. La medida de nuestra paz interior será la de nuestro abandono, por lo tanto, la de nuestro desprendimiento.

El abandono implica también una parte inevitable de renuncia, y es eso lo que nos resulta más difícil de aceptar. Tenemos una tendencia natural a aferrarnos a una cantidad de cosas:; bienes materiales, afectos, deseos, proyectos, etc., y nos cuesta terriblemente soltarlos, pues tenemos la impresión de perdernos, de morir. Es entonces que debemos creer con todo nuestro corazón en la Palabra de Jesús, en este ley de "el que pierde gana", tan explícita en el Evangelio: *Pues el que quiera asegurar su vida la perderá, pero el que sacrifique su vida por causa mía, la hallará"* (Mt 16, 25). El que acepte esta muerte del desprendimiento, del renunciamiento, encuentra la verdadera vida. El hombre que se aferra a alguna cosa, que quiere salvaguardar un dominio cualquiera de su vida para administrarlo según su conveniencia sin abandonarlo radicalmente entre las manos de Dios, hace un mal cálculo: se carga de preocupaciones inútiles y se expone a la inquietud de la pérdida. Por el contrario, el que acepta poner todo en las manos de Dios, de dejarle el permiso de tomar y de dar según su capricho, encuentra una paz y una libertad interior inexpresables. "¡Ah, si supiéramos lo que se gana renunciando a todo!", decía santa Teresa del Niño Jesús. Es el camino de la felicidad, porque si dejamos a Dios libre de elegir a su antojo, es infinitamente más capaz de hacernos felices que nosotros mismos, porque nos conoce y nos ama mucho más que lo que nosotros nos conocemos y nos amamos. San Juan de la Cruz expresa esta misma verdad en otros términos: "Todos los bienes me han sido dados a partir del momento en que no los he buscado más". Si nos desprendemos de todo poniéndolo en manos de Dios, Él nos dará mucho más, cien veces más, *"en la presente vida"* (Mc 10, 30).

6. Dios pide todo, perono toma forzosamente todo

Pero, a propósito de lo que acabamos de considerar, es importante saber desenmascarar una astucia frecuentemente usada por el demonio para turbarnos y desalentarnos. Frente a ciertos bienes de los que disponemos (un bien material, una amistad, una actividad que amamos, etc.), el demonio, para impedir que nos abandonemos a Dios, nos hace imaginar que si le entregamos todo, Dios va, efectivamente, a tomar todo y a "devastar" toda nuestra vida. Y eso nos despierta un terror que nos paraliza por completo. Pero no es necesario caer en la trampa. Muy a menudo el Señor nos pide sólo una actitud de desprendimiento a nivel del corazón, una disposición a entregarle todo, pero no "toma" forzosamente todo, nos deja la posesión apacible de muchas cosas cuando ellas no son malas en sí mismas y pueden servir a sus designios, reasegurándonos aun frente a los escrúpulos que podemos tener a veces por gozar de ciertos bienes, de ciertas alegrías humanas, escrúpulos frecuentes en aquellos que aman al Señor y quieren hacer su voluntad. Y debemos creer firmemente que si Dios nos pide un desprendimiento efectivo de tal o cual realidad, nos lo hará comprender claramente cuando lo desee; que nos dará la fuerza necesaria, y que este desprendimiento, aunque doloroso en su momento, será seguido por una profunda paz. La actitud adecuada es pues, simplemente, estar dispuestos a dar todo a Dios, sin entrar en el pánico, y a dejarle hacer su voluntad, en total confianza.

7. ¿Qué hacer cuando uno no logra abandonarse?

Cuando se le planteó esta pregunta a Marta Robin, su respuesta fue: "¡Abandonarse lo mismo!". Es la respuesta de una santa; yo no me permito proponer otra. Se une a las palabras de Teresa del Niño Jesús: "¡El abandono total, he aquí mi única ley!".

El abandono no es natural; es una gracia que se debe pedir a Dios. Nos la dará si le rogamos con perseverancia: *"Pidan, y se les dará..."* (Mt 7, 7).

El abandono es un fruto del Espíritu Santo, pero el Señor no niega este Espíritu a quien se lo pide con fe: *"Si ustedes, que son malos, saben dar cosas buenas a sus hijos, ¡cuánto más el Padre del cielo dará el Espíritu Santo a los que se lo pidan!"* (Lc 11, 13).

8. El Señor es mi pastor, nada me puede faltar

Una de las más bellas expresiones del abandono confiado en manos de Dios, en la Biblia, es el salmo 23:

> *El Señor es mi pastor; nada me falta;*
> *en verdes pastos él me hace reposar.*
> *A las aguas de descanso me conduce,*
> *y reconforta mi alma.*
> *Por el camino del bueno me dirige,*
> *por amor de su nombre.*
> *Aunque pase por quebradas oscuras,*
> *no temo ningún mal,*
> *porque tú estás conmigo*
> *con tu vara y tu bastón,*
> *y al verlas voy sin miedo.*
> *La mesa has preparado para mí*
> *frente a mis adversarios,*
> *con aceites perfumas mi cabeza*
> *y rellenas mi copa.*
> *Irán conmigo la dicha y tu favor*
> *mientras dure mi vida,*
> *mi mansión será la casa del Señor*
> *por largos, largos días.*

Querríamos volver algunos instantes sobre esta afirmación sorprendente de las Escrituras, de que Dios no nos deja faltar nada. Esto servirá para desenmascarar una tentación, a veces sutil, muy común en la vida cristiana, en la cual muchos caen, y que paraliza enormemente el progreso espiritual.

Se trata precisamente de creer que, en nuestra situación (personal, familiar...), algo esencial nos falta, y que a causa de ello nuestro progreso, la posibilidad de expandirnos espiritualmente, nos está negado.

Por ejemplo, no tengo salud, y por ello no llego a orar como creo me sería indispensable hacerlo. O bien mi entorno familiar me impide organizar mis actividades espirituales como yo querría hacerlo. O, aún más, no poseo las cualidades, las fuerzas, las virtudes, los dones, que estimo me son necesarios para poder realizar algo bueno en el plano de la vida cristiana.

No estoy satisfecho con mi vida, con mi persona, con mis condiciones, y vivo con el sentimiento constante de que, mientras las cosas sean así, me será imposible vivir verdadera e intensamente. Me siento no favorecido en relación con otros, y llevo en mí la nostalgia constante de otra vida, mejor, más favorecida, donde, allí sí, podría hacer cosas valiosas.

Tengo el sentimiento, según la expresión de Rimbaud, de que "la verdadera vida está en otra parte", en otra parte distinta de mi vida, y que ésta no es una verdadera vida, que no me ofrece, a causa de ciertos sufrimientos y limitaciones, las condiciones para un verdadero florecimiento espiritual. Estoy concentrado en lo negativo de mi situación, en lo que me falta para ser feliz; esto me torna descontento, envidioso y descorazonado, y de repente no avanzo más: -la verdadera vida está en otra parte-, me digo, y me olvido simplemente de vivir.

Y sería suficiente a veces poca cosa para que todo fuera diferente y yo pudiera progresar a pasos gigantescos: una mirada diferente, una mirada de confianza y de esperanza sobre mi situación (basada en la certeza de que nada me podrá faltar). Y entonces se me abrirían puertas, posibilidades inesperadas de crecimiento espiritual.

Vivimos a menudo en esta ilusión: querríamos que cambie lo que nos rodea, que cambien las circunstancias, con la impresión de que entonces todo nos iría mejor. Pero esto es a menudo un error: no son las circunstancias externas las que deben cambiar, es ante todo nuestro corazón el que debe cambiar, que debe purificarse de su encierro, de su tristeza, de su falta de esperanza. *"Felices los de corazón limpio, porque verán a Dios"* (Mt 5, 8). Felices aquellos cuyo corazón está purificado por la fe y la esperanza, que consideran su vida con una mirada animada por la certeza de que, más allá de las apariencias desfavorables, Dios está presente, provee a sus necesidades esenciales y que, por lo tanto, nada les falta. Entonces, si tienen esa fe, verán a Dios: experimentarán esta presencia de Dios que los acompaña y los guía, verán que tantas circunstancias que estimaban como negativas y perjudiciales para su vida espiritual son, de hecho, en la pedagogía de Dios, medios poderosos para hacerlos progresar y crecer. San Juan de la Cruz dice que "muy a menudo el alma, por lo que cree perder, gana ya provecha mucho más". Y esto es muy real.

Estamos a veces tan obnubilados por lo que no marcha bien, por lo que –según nuestro criterio– debería ser diferente en nuestra situación, que nos olvidamos de lo positivo y, más aún, no sabemos aprovechar todos los aspectos de nuestra situación, aún los aparentemente negativos, para acercarnos a Dios, crecer en la fe, el amor, la humildad. Lo que nos falta, es sobre todo la convicción de que "el amor de Dios saca provecho de todo, tanto del bien como del mal que encuentra en mí" (Santa Teresa del Niño Jesús, inspirándose en san Juan de la Cruz). Cuántas imperfecciones nuestras, si no nos lamentáramos y quisiéramos desembarazarnos de ellas a cualquier precio, podrían ser ocasiones espléndidas de progresar en la humildad y la confianza en la misericordia de Dios y, por lo tanto, en la santidad.

El problema de fondo es que tenemos demasiadas opiniones propias sobre lo que está bien y lo que no lo está, y no tenemos suficiente confianza en la Sabiduría y el poder de Dios; no creemos que Él sea capaz de utilizar todo para nuestro bien y que jamás, en cualquier circunstancia en la que estemos, nos dejará faltar lo esencial, es decir, a fin de cuentas, lo que nos permite amar más. Porque crecer, o expandirse en la vida espiritual, es aprender a amar. Tantas circunstancias que considero perjudiciales podrían, de hecho, ser para mí, si tuviera más fe, ocasiones preciosas de amar más: de ser más paciente, más hu-

milde, más dulce, más misericordioso, de abandonar-
me más en las manos de Dios.

Estemos bien convencidos de esto y será para
nosotros una fuerza inmensa: Dios puede permitir
que me falte a veces dinero, salud, capacidades,
virtudes, pero no dejará jamás que me falte su presencia, su asistencia y su misericordia, y también
todo lo que pueda llevarme sin cesar a acercarme
más a Él y a amarlo más intensamente, a amar mejor
a mi prójimo y llegar a la santidad.

9. Actitud frente al sufrimiento de nuestros seres queridos

Una situación frecuente en la cual podemos perder la paz del alma es aquella en la cual una persona allegada a nosotros se encuentra en una situación difícil. Nos conmueve y nos preocupa mucho
más, a veces, el sufrimiento de un amigo, de un
hijo, que el nuestro mismo. Esto en sí es bueno,
pero no debe convertirse en ocasión de desespe-
ranza. Cuántas inquietudes a veces excesivas rei-
nan en una familia cuando uno de sus miembros es
probado en su salud, está sin trabajo, vive un momento de depresión, etc. Cuántos padres se ator-
mentan por la preocupación causada por un problema que aqueja a uno de sus hijos...

El Señor nos invita, sin embargo, en estos casos también, a no perder nuestra paz interior, por todas las razones que ya hemos presentado en las páginas precedentes. Nuestro dolor es legítimo, pero permanezcamos en paz. El Señor no podría abandonarnos: *"Pero ¿puede una mujer olvidarse del niño que cría, o dejar de querer al hijo de sus entrañas? Pues bien, aunque alguna lo olvidase, yo nunca me olvidaría de ti"* (Is 49, 15).

Pero, un punto sobre el cual querríamos sin embargo insistir es éste: de la misma manera en la cual, como veremos a continuación, importa saber distinguir bien entre la verdadera y la falsa humildad, entre el verdadero arrepentimiento, apacible y confiado, y el falso arrepentimiento, el remordimiento inquieto que paraliza, también debemos distinguir entre lo que podríamos llamar la verdadera y la falsa compasión.

Es cierto que, a medida que avanzamos más en la vida cristiana, más crece nuestra compasión. Mientras que nosotros somos naturalmente duros e indiferentes, el espectáculo de la miseria del mundo, el sufrimiento de sus hermanos, arranca lágrimas a los santos, cuya intimidad con Jesús ha vuelto "líquido" su corazón, según la expresión del Cura de Ars. Santo Domingo pasaba sus noches en plegarias y lágrimas suplicando al Señor: "Misericordia mía, ¡qué va a ocurrir con los pecadores!". Y tendríamos el derecho de poner verdaderamente en duda el valor de la vida espiritual de una persona que no manifestara una compasión creciente.

Pero la compasión de los santos, si bien es profunda y rápida para abrazar toda miseria y acudir a socorrerla, es sin embargo siempre dulce, apacible y confiada. Es un fruto del Espíritu.

Mientras que nuestra compasión es a menudo inquieta y atormentada. Tenemos una manera de implicarnos en el sufrimiento del otro que no es siempre justa, que proviene a veces más del amor propio que de un verdadero amor por el otro. Creemos que preocuparse excesivamente por alguien en dificultades es justificado, que es un signo del amor que se tiene a esa persona. Y esto es falso. Hay a menudo en esta actitud un gran amor propio escondido. No soportamos el sufrimiento del otro porque tenemos miedo de sufrir nosotros mismos. Porque nosotros también carecemos de confianza en Dios.

Es normal sentirse profundamente conmovido por el sufrimiento de aquél a quien queremos, pero si a causa de ello nos atormentamos hasta perder la paz, esto significa que nuestro amor por esa persona no es aún plenamente espiritual, no es aún según Dios. Es un amor todavía demasiado humano y sin duda egoísta, y que no está suficientemente fundamentado en una confianza inquebrantable en Dios.

Para ser verdaderamente una virtud cristiana, la compasión debe proceder del amor (que consiste en querer el bien de una persona, a la luz de Dios y de acuerdo con sus designios) y no del temor (temor al sufrimiento, temor de perder algo). Pero, de hecho y demasiado a menudo, nuestra actitud frente a quienes sufren en nuestro entorno está más condicionada por el temor que fundada en el amor.

Una cosa es cierta: Dios ama infinitamente más que nosotros a nuestros seres queridos, e infinitamente mejor. Desea que nosotros creamos en ese amor y que sepamos también abandonar a nuestros seres queridos en sus manos. Y esto será a veces una ayuda mucho más eficaz que la nuestra.

Nuestros hermanos y hermanas que sufren necesitan a su alrededor personas en paz, confiadas y alegres, y serán ayudadas mucho más eficazmente por éstas que por personas preocupadas y ansiosas. Nuestra falsa compasión no hace, a menudo, más que agregar una tristeza a otra, un desasosiego a otro. No es una fuente de paz y de esperanza para quienes sufren.

Querría darles un ejemplo concreto que viví muy recientemente. Se trataba de una mujer joven que sufría mucho por una forma de depresión, con temores y angustias que le impedían a menudo salir sola a la calle. Hablé con su madre, descorazonada, bañada en lágrimas, que me suplicaba que rezáramos por su curación. Respeto infinitamente el dolor comprensible de esa madre. Y rezamos por su hija. Pero lo que más me chocó fue que, cuando un poco después tuve ocasión de hablar con la joven misma, me di cuenta de que ella vivía su sufrimiento en paz. Me decía: ˸ no puedo rezar, pero lo único que no dejo de repetir a Jesús son las palabras del salmo 23: *"Tú eres mi pastor; nada me falta"*. Me decía también que veía frutos positivos en su enfermedad, particularmente en su padre que, antes muy duro con ella, había cambiado ahora de actitud.

He visto a menudo casos así: una persona está en un momento de prueba, pero la vive mejor que el entorno, que se agita y se inquieta. Existe una manera de multiplicar las plegarias por la curación, aún por la liberación, de buscar todos lo medios posibles e imaginables de conseguir la curación de una persona, sin darse cuenta de que, evidentemente, la mano de Dios está sobre ella. No digo que no se deba acompañar con una oración perseverante a las personas que sufren y pedir su curación, ni dejar de hacer lo que sea humana y espiritualmente posible para conseguirlo. Es un deber, verdaderamente, hacerlo. Pero en un clima de paz y de abandono confiado en las manos de Dios.

10. En toda persona que sufre está Jesús

La razón más importante que tenemos para ayudarnos a enfrentar apaciblemente el drama del sufrimiento es ésta: debemos tomar muy en serio el misterio de la Encarnación y el de la Cruz. Jesús ha tomado nuestra carne, ha tomado realmente sobre sí nuestros sufrimientos, y en toda persona que sufre está Jesús sufriendo. En el Evangelio según san Mateo, en el capítulo 25, en el relato del

Juicio Final, Jesús dice a aquellos que han cuidado a los enfermos y visitado a los presos: *"En verdad les digo que cuando lo hicieron con algunos de los más pequeños de éstos mis hermanos, me lo hicieron a mí"* (Mt 25, 40). Estas palabras del Señor nos enseñan que: "A la tarde te examinarán en el amor" (San Juan de la Cruz), y en particular por el amor a nuestros hermanos necesitados. Es una exhortación a la compasión. Pero estas palabras de Jesús, ¿no nos invitan también a reconocer sus rasgos, su presencia, en todos los que sufren? Nos llaman a emplear todas nuestras fuerzas para aliviar este sufrimiento, y también a echar sobre él una mirada de esperanza. En todo sufrimiento hay un germen de vida y de resurrección, puesto que en él está Jesús en persona.

Si, frente a una persona que sufre, tenemos la convicción de que es Jesús quien sufre en ella, que completa en ella lo que le falta a su Pasión, para hablar como san Pablo, ¿cómo desesperar ante este sufrimiento? ¿No ha resucitado Cristo? Su Pasión, ¿no es redentora? *"No deben afligirse como hacen los demás que no tienen esperanza"* (1 Tes 4, 13).

11. Los defectos y las faltas de los demás

He mencionado como el motivo más frecuente de la pérdida de la paz interior la inquietud frente a un mal que amenaza o afecta a nuestra propia persona o a nuestros seres cercanos.

La respuesta es el abandono confiado en las manos de Dios que nos libra de todo mal o que, si bien lo permite, nos da la fuerza para soportarlo y lo transforma en nuestro beneficio.

Esta respuesta es válida para todas las otras causas que nos llevan a perder la paz, en lascuales nos vamos a centrar ahora y que son casos particulares. Es bueno sin embargo hablar de ellas porque, si bien la única ley es el abandono, éste toma formas diversas según cuál sea el origen de nuestros problemas e inquietudes.

Ocurre a menudo que perdemos la paz, no por un sufrimiento que nos toque o nos amenace personalmente, sino más bien a causa de la conducta de una persona o de un grupo de personas, que nos aflige y nos preocupa. Está en juego entonces un bien que no es directamente el nuestro, pero que nos interesa: el bien de nuestra comunidad, de la Iglesia, o la salvación de una persona en particular.

Una mujer puede estar inquieta porque no llega la conversión tan deseada de su marido. Un superior de una comunidad puede perder la paz porque uno de sus hermanos y hermanas hace lo contrario de lo que se espera de ellos. O, más simplemente, en la vida cotidiana uno puede irritarse porque un allegado no se comporta como debería hacerlo. ¡Cuánta irritación por este tipo de situaciones!

La respuesta es igual a la anterior: la confianza y el abandono. Debo hacer todo lo que puedo para ayudar a los otros a mejorar, en paz y dulcemente, y dejar todo el resto en manos del Señor, que sabrá sacar provecho de todo.

Pero, a propósito de esto, querríamos enunciar un principio general que es muy importante en la vida espiritual cotidiana, y que es el punto en el cual fallamos habitualmente en los casos citados. Su dominio de aplicación es, por otra parte, bastante más amplio que este tema de la paciencia ante los defectos del prójimo.

El principio es el siguiente: debemos cuidarnos no sólo de querer y desear cosas buenas en sí mismas, sino también de quererlas y desearlas de una manera buena. Estar atentos no sólo **a lo que queremos** sino también **a la manera en que lo queremos.** En efecto, muy frecuentemente pecamos así: queremos una cosa que es buena, y aún muy buena, pero **la queremos de una forma que no es buena.** Para comprender esto tomemos uno de los ejemplos anteriores: es normal que el superior de una comunidad vele por la santidad de aquellos que le han sido confiados. Es algo excelente, conforme a la voluntad de Dios. Pero si este superior se enoja, se irrita y pierde la paciencia ante las imperfecciones o la falta de fervor de sus hermanos, no es ciertamente el Espíritu el que lo anima. Y tenemos a menudo esa tendencia: porque aquello que queremos es bueno, y hasta querido por Dios, nos sentimos justificados en quererlo con más impaciencia, con más descontento aun si no se cumple. ¡Cuanto mejor es una cosa, más nos agitamos y preocupamos por realizarla!

Debemos entonces, como ya lo he dicho, no solamente verificar que las cosas que queremos sean buenas en sí mismas, sino también que nuestra manera de quererlas, la disposición del corazón en la cual las deseamos, sea buena. Es decir, que nuestro deseo debe siempre ser dulce, apacible, paciente, desprendido, abandonado a Dios, y no un querer impaciente, demasiado apurado, inquieto, irritado, etc. En la vida espiritual, es a menudo allí donde nuestra actitud es equivocada. No estamos ciertamente entre aquellos que quieren cosas malas, contrarias a Dios; queremos cosas buenas, conforme a la voluntad de Dios, pero las queremos de una manera que no es todavía "la manera de Dios" -es decir, la del Espíritu Santo, espíritu dulce, apacible, paciente-, sino la manera humana, tensa, apurada, que se desalienta si no alcanza inmediatamente aquello a lo que tiende.

Todos los santos insisten en decirnos que debemos moderar nuestros deseos, aun los mejores. Porque si deseamos a la manera humana que hemos descripto, ello nos turbará e inquietará el alma, quitándole la paz y estorbando la acción de Dios en ella y en el prójimo.

Y esto se aplica a todo, hasta a nuestra propia santificación. ¡Cuántas veces perdemos la paz porque vemos que nuestra santificación no progresa suficientemente rápido, porque tenemos aún tantos defectos, y esto sólo retrasa las cosas! San Francisco de Sales llega a decir que "nada atrasa tanto el progresar en una virtud como querer adquirirla demasiado rápido. Pero ya volveremos sobre esto en un capítulo posterior.

Para concluir, recordemos esto: en lo que concierne a nuestros deseos, a nuestro querer, la señal de que estamos en la verdad, de que deseamos según el Espíritu Santo, es que no sólo la cosa deseada sea buena, sino también que estemos en paz. Un deseo que hace perder la paz, aunque la cosa deseada sea en sí misma excelente, no es de Dios. Debemos querer y desear de forma libre y desprendida, abandonando en manos de Dios la realización de esos deseos como y cuando Él quiera. Educar el propio corazón en este sentido es de gran importancia para el progreso espiritual. Es Dios quien hace crecer, quien convierte, y no nuestra precipitación y nuestra inquietud.

12. Paciencia con el prójimo

Apliquemos entonces esto al deseo que tenemos de que quienes nos rodean se comporten mejor; que este deseo sea apacible y sin inquietud. Sepamos permanecer calmos aunque quienes nos rodean actúen de una manera que nos parezca errónea e injusta. Hagamos, ciertamente, lo que dependa de nosotros para ayudarlos, sea reprenderlos o corregirlos, en función de las responsabilidades eventuales que debamos asumir con ellos, pero que todo se haga en la dulzura y en la paz. Allí donde nosotros somos impotentes, quedémonos tranquilos y dejemos actuar a Dios.

¡Cuántas personas pierden la paz porque quieren, a cualquier precio, cambiar a quienes los rodean! ¡Cuántas personas casadas se agitan y se irritan porque quieren que su cónyuge no tenga tal o cual defecto! El Señor nos pide, por el contrario, soportar con paciencia los defectos del prójimo.

Debemos razonar así: si el Señor no ha transformado aún a tal persona, no le ha quitado aún tal o cual imperfección, es porque lo soporta como es. Espera con paciencia el momento oportuno. Entonces yo debo hacer como Él: debo orar y ser paciente. ¿Por qué ser más exigente y apurado que Dios? Creo a veces que mi apresuramiento está motivado por el amor, pero Dios ama infinitamente más que yo, y sin embargo está menos impaciente. *"Tengan paciencia, hermanos, hasta la venida del Señor. Miren cómo el sembrador cosecha los preciosos productos de la tierra, que ha aguardado desde las primeras lluvias hasta las tardías"* (Sant 5, 7).

Esta paciencia es tanto más importante porque opera en nosotros una purificación absolutamente indispensable. Creemos querer el bien de los otros, o nuestro propio bien, pero este deseo está mezclado frecuentemente con una búsqueda escondida de nosotros mismos, de voluntad propia, de adhesión a nuestras concepciones personales, estrechas y limitadas, a las que sin embargo nos aferramos y querríamos imponer a otros, -y a veces hasta a Dios. Debemos liberarnos a cualquier precio de esta estrechez de juicio y de corazón, para que se realice el bien no como nosotros lo imaginamos y concebimos, sino el que corresponde a los designios de Dios, tanto más amplios y hermosos.

13. Paciencia con nuestras propias faltas e imperfecciones

Cuando una persona ha recorrido un cierto camino en la vida espiritual, desea verdaderamente amar al Señor con todo su corazón, ha aprendido a tenerle confianza y a abandonarse en sus manos en medio de las dificultades, le queda sin embargo una circunstancia en la cual a menudo corre el riesgo de perder la paz y la tranquilidad de su alma, que el demonio aprovecha frecuentemente para desalentarla y preocuparla.

Se trata de la visión de su miseria, de la experiencia de sus propias faltas, de las caídas que tiene todavía en tal o cual aspecto a pesar de su buena voluntad por corregirse.

Pero allí también es importante darse cuenta de que la tristeza, el desaliento, la inquietud del alma que experimentamos después de una falta, no son buenos, y que debemos, por el contrario, hacer todo para permanecer en paz.

En la experiencia cotidiana de nuestras miserias y de nuestras caídas, he aquí el principio fundamental que debe guiarnos: no se trata tanto de que hagamos esfuerzos sobrehumanos para eliminar totalmente nuestras imperfecciones y nuestros pecados (lo que de cualquier forma está fuera de nuestro alcance), sino de saber recuperar lo más rápido posible la paz cuando hayamos caído en una falta o cuando nos sintamos turbados por la experiencia de nuestras imperfecciones, evitando la tristeza y el desaliento.

No se trata de ser laxos, ni de resignarnos a la mediocridad, sino, por el contrario, de aceptarlo como un medio para santificarnos más rápidamente, y existen para ello numerosas razones.

La primera es este principio fundamental que ya hemos enunciado varias veces: Dios actúa en la paz del alma. No es por nuestras propias fuerzas como conseguiremos librarnos del pecado; es sólo la gracia de Dios la que lo logrará. En lugar de luchar con nosotros mismos, es más eficaz reencontrar la paz, para dejar actuar a Dios.

La segunda razón es que esto agrada más al Señor. ¿Qué es lo que contenta más a Dios: que luego de una caída uno se desaliente y se atormente, o que reaccione diciendo: "Señor, te pido perdón, he pecado nuevamente, he aquí lo que soy capaz de hacer yo solo, pero me abandono con confianza a tu misericordia y a tu perdón; te agradezco por no haber permitido que peque aún más gravemente; me abandono a ti con confianza porque sé que un día me sanarás completamente, y esperando esto te pido que la experiencia de mi miseria me lleve a ser más humilde, más dulce hacia los otros, más consciente de que yo no puedo hacer nada por mí mismo, sino que debo esperar todo únicamente de tu amor y tu misericordia"? La respuesta es clara.

La tercera razón es que la preocupación, la tristeza, el desaliento que experimentamos luego de nuestras caídas y de nuestras faltas, muy pocas veces son puros o reflejan simplemente el dolor de haber ofendido a Dios. Hay una gran parte de orgullo mezclado con ellos. Estamos tristes y descorazonados, no tanto por haber ofendido a Dios, sino porque la imagen ideal que teníamos de nosotros mismos se ha visto brutalmente quebrada. Nuestro dolor es, muy a menudo, el dolor del orgullo herido. Este dolor excesivo es, justamente, una señal de que hemos puesto nuestra confianza en nosotros mismos, en nuestras propias fuerzas, y no en Dios. Escuchemos a Lorenzo Scupoli, citado anteriormente:

> "El hombre presuntuoso se cree seguro de haber adquirido la desconfianza en sí mismo y la confianza en Dios, que son los fundamentos de la vida espiritual y que por lo tanto debemos esforzarnos por adquirir, pero es un error que nunca se entiende mejor que luego de una caída. Porque entonces, si uno se turba, se aflige, si pierde toda esperanza de seguir progresando en la virtud, esto será la señal de que ha puesto toda su confianza, no en Dios sino en sí mismo, y cuanto más grandes sean la tristeza y la desesperación, tanto más deberá juzgárselo culpable.
>
> Porque aquél que desconfía mucho de sí mismo y confía mucho en Dios, cuando comete alguna falta no se asombra, no tiene inquietud ni tristeza, porque ve bien que eso es un efecto de su debilidad y del poco

cuidado que ha tenido de poner su confianza en Dios. Su caída, por el contrario, le enseña a desconfiar de sus fuerzas de allí en más y confiar en la ayuda del Único que tiene el poder; aborrece por sobre todas las cosas su pecado; condena la pasión o el hábito vicioso que ha sido la causa de él; concibe un vivo dolor por haber ofendido a su Dios, pero su dolor siempre tranquilo no le impide volver a sus primeras ocupaciones: sobrellevar sus pruebas habituales y perseguir hasta la muerte a sus crueles enemigos...

Es todavía una ilusión muy común atribuir a un sentimiento de virtud este temor y turbación que se experimenta después del pecado, porque, aunque es cierto que la inquietud que sigue al pecado está siempre acompañada de algún dolor, no es menos cierto que proviene de un trasfondo de orgullo, de una secreta presunción causada por la confianza excesiva en las propias fuerzas. Así pues, aquél que se cree afirmado en la virtud, aquél que menosprecia las tentaciones, reconociendo por la triste experiencia de sus caídas que es frágil y pecador como los demás, se asombra como ante algo que no debería ocurrir y, privado del débil apoyo con el que contaba, se deja arrastrar a la tristeza y a la desesperación.

Esta desgracia no le ocurre jamás a los humildes, que no presumen nunca de sí mismos, y se apoyan sólo en Dios, porque, cuando fallan, no se sorprenden ni se turban, pues la luz de la verdad que los ilumina les hace ver que es un efecto natural de su debilidad y de su inconstancia" (*Le Combat Spirituel,* cap. 4 y 5).

14. Dios puede sacar el bien aun de nuestras faltas

La cuarta razón por la cual esta tristeza y este desaliento no son buenos es que no debemos tomar tan a lo trágico nuestras propias faltas, porque Dios es capaz de sacar de ellas un bien.

La pequeña Teresa del Niño Jesús amaba mucho esta frase de san Juan de la Cruz: "El Amor sabe sacar provecho de todo, tanto del bien como del mal que encuentra en mí, y transformar en suya toda cosa".

Nuestra confianza en Dios debe llegar hasta esto: creer que Él es suficientemente bueno y poderoso como para sacar provecho de todo, aun de nuestras faltas y nuestras infidelidades.

Cuando cita la frase de san Pablo: *"Todo concurre al bien de aquellos que aman a Dios"*, san Agustín agrega: "Etiam peccata": ¡hasta el pecado!

Con toda seguridad, debemos luchar enérgicamente contra el pecado y corregirnos de nuestras imperfecciones. Dios vomita a los tibios, y nada enfría tanto el amor como resignarse a una cierta mediocridad (que, por otra parte, es una falta de confianza en Dios y en su capacidad para santificarnos). Debemos también, cuando hemos sido causa de algún mal, intentar repararlo en la medida de lo posible. Pero no debemos desolarnos demasiado por nuestras faltas, porque Dios, una vez que volvemos a Él con el corazón arrepentido, es capaz de hacer brotar de ellas un bien. Aunque no sea más que hacernos crecer en la humildad y enseñarnos a poner un poco menos la confianza en nuestras propias fuerzas y un poco más solamente en Él.

Tan grande es la misericordia del Señor que utiliza nuestras faltas para nuestro provecho. Ruysbroek, místico flamenco de la Edad Media, escribió: "El Señor, en su clemencia, ha querido volver nuestros pecados contra sí mismos y para nosotros; ha encontrado la manera de volverlos útiles, de convertirlos en nuestras manos en instrumentos de salvación. Que esto no disminuya en nada nuestro temor de pecar, ni nuestro dolor por haber pecado. Pero nuestros pecados se han convertido para nosotros en una fuente de humildad".

Agreguemos que igualmente pueden convertirse en una fuente de dulzura y de misericordia hacia el prójimo. Si yo caigo tan fácilmente, ¿cómo podría permitirme juzgar a mi hermano? ¿Cómo no deberé tener misericordia de él, como el Señor la tiene conmigo?

Por lo tanto, después de cualquier falta, en lugar de permanecer indefinidamente plegados sobre nosotros mismos en el desaliento, insistiendo en el recuerdo de lo hecho, debemos volver inmediatamente a Dios con confianza, y hasta agradecerle el bien que su misericordia será capaz de sacar de esta falta.

Debemos saber que una de las armas que el demonio emplea más habitualmente para impedir el caminar de las almas hacia Dios es, precisamente, hacerles perder la paz y desalentarlos por medio de la visión de sus faltas.

Tenemos que saber distinguir el verdadero arrepentimiento, el verdadero deseo de corregirnos, que es siempre dulce, confiado, de este falso arrepentimiento, de este remordimiento que turba, descorazona y paraliza. Todos los reproches que vienen de nuestra conciencia no son inspirados por el Espíritu Santo. Algunos vienen de nuestro orgullo o del demonio, y debemos aprender a distinguirlos. La paz es un criterio esencial en el discernimiento de los espíritus. Los sentimientos que provienen del Espíritu de Dios pueden ser muy poderosos y profundos, pero no son por eso menos apacibles. Escuchemos otra vez a Scupoli:

"Para conservar nuestro corazón en una perfecta tranquilidad, tenemos necesidad de despreciar ciertos remordimientos interiores, que parecen venir de Dios, puesto que son reproches que nuestra conciencia nos hace a causa de defectos reales, pero que vienen del espíritu del mal, según podemos juzgar por los resultados.Si los remordimientos de conciencia sirven para humillarnos, si nos vuelven más fervientes en la práctica de las buenas obras, si no disminuyen en nada la confianza que debemos tener en la misericordia divina, debemos recibirlos con agradecimiento, como favores del Cielo. Pero si nos causan preocupación, si nos disminuyen el coraje, si nos vuelven perezosos, tímidos, lentos en el cumplimiento de nuestros deberes, debemos creer que son sugerencias del enemigo, y **hacer las cosas como de costumbre, sin dignarnos escucharlos** (*Le Combat spirituel,* cap. 25).

Comprendamos esto: para la persona de buena voluntad, lo que es grave en el pecado no es tanto la falta en sí misma, sino el estado de abatimiento en el que entra. Quien cae, pero se levanta inmediatamente, no ha perdido gran cosa. Más bien, ha ganado: en humildad y en experiencia de la misericordia. Quien permanece triste y abatido pierde mucho más, de allen adelante. El signo del progreso espiritual no consiste tanto en no caer, sino en ser capaz de levantarse rápidamente de las caídas.

15. ¿Qué hacer cuando hemos pecado?

De todo lo que acabamos de decir, se desprende para nosotros una regla de conducta que es muy importante tener en cuenta cuando caemos en alguna falta. Debemos sentir, ciertamente, el dolor por haber pecado, pedir perdón a Dios y suplicarle humildemente que nos conceda la gracia de no ofenderlo más en esa forma, haciendo la resolución de confesarnos en el momento oportuno. Pero sin entristecernos ni desalentarnos, reencontrando lo más rápidamente posible nuestra paz gracias a las consideraciones que hemos hecho antes, y retomando nuestra vida espiritual normalmente como si nada hubiera ocurrido. Cuánto más rápido reencontremos nuestra paz, tanto mejor será para nosotros, y progresaremos mucho más que irritándonos con nosotros mismos.

Un ejemplo concreto muy importante es el siguiente: cuando caemos en alguna falta, bajo el efecto de la turbación en la que caemos, nos vemos muchas veces tentados de volvernos menos constantes en nuestra vida de oración, de no cumplir, por ejemplo, con nuestro tiempo habitual de plegaria silenciosa. Y encontramos buenos pretextos: "¡Cómo yo, que vengo de caer en el pecado, que vengo de ofender al Señor, puedo presentarme delante de Él en este estado!". Y necesitamos a veces varios días para retomar nuestros hábitos acostumbrados de oración. Esto es un grave error; es sólo la falsa humildad inspirada por el demonio. Por el contrario, es muy importante no cambiar nada en nuestros hábitos normales de plegaria. ¿Dónde encontraremos la cura para nuestras faltas sino cerca de Jesús? Nuestros pecados son un muy mal pretexto para alejarnos de Él, puesto que, cuanto más somos pecadores, tanto más derecho tenemos a acercarnos a Aquél que dijo: *"No es la gente sana la que necesita médico, sino los enfermos...Pues no he venido a llamar a los justos sino a los pecadores".* (Mt 9, 12-13).

Si esperamos ser justos para llevar una vida de oración regular, podemos esperar mucho tiempo. Por el contrario: es aceptando aparecer delante del Señor en nuestro estado de pecado como recibiremos la salud y seremos, poco a poco, transformados en santos.

Existe en esto una ilusión importante para desenmascarar: querríamos poder presentarnos ante el Señor sólo cuando estamos limpios y bien peinados, y contentos con nosotros mismos. Pero hay mucha presunción en esta actitud. A fin de cuenta, querríamos poder arreglarnos sin la misericordia. Pero, ¿cuál es entonces la naturaleza de esta pseudo-santidad a la que aspiramos a veces inconscientemente, y que haría que no tuviéramos más necesidad de Dios? La verdadera santidad es reconocer, por el contrario, cada vez más, cuánto dependemos absolutamente de su misericordia.

Para concluir, citemos un último pasaje del *Combat Spirituel,* que retoma todo lo que ya hemos dicho y nos indica la línea de conducta a poner en práctica cuando hemos caído en cualquier falta. Se titula: "Lo que debemos hacer cuando hayamos recibido alguna herida en el Combate Espiritual":

"Cuando se sientan heridos, es decir, cuando vean que han cometido alguna falta, sea por pura fragilidad, sea con reflexión y malicia, no se aflijan mucho por ello; no se dejen caer en la tristeza y la inquietud, sino, más bien, diríjanse cuanto antes a Dios, y díganle, con humilde confianza: "Es ahora, mi Dios, que te muestro lo que soy porque, ¿qué podría esperarse de una criatura débil y ciega como yo, sino errores y caídas?". Y deténganse un poco aquí, a fin de replegarse en sí mismos y concebir un vivo dolor por sus faltas.

Luego, sin inquietarse, vuelvan toda su cólera contra las pasiones que los dominan, principalmente contra aquélla que ha sido la causa de su pecado.

Y díganle al Señor: "Señor, hubiera cometido crímenes mucho más grandes, si, por tu infinita bondad, no me hubieras socorrido".

Den entonces infinitas gracias a ese Padre de la misericordia; ámenlo más que nunca, viendo que, lejos de sentirse injuriado por lo que acaban de hacerle, les tiende aún la mano, por temor a que caigan nuevamente en algún tipo de desorden.

Y finalmente, llenos de confianza, díganle: "Muestra, mi Dios, lo que eres; haz sentir a un pecador humillado tu divina misericordia; perdóname todas mis ofensas; no permitas que me separe ni que me aleje ni un poco de ti; fortifícame tanto con tu gracia, que no vuelva a ofenderte jamás".

Después de esto, no tiene sentido examinar si Dios les ha perdonado, o no, pues sería quererse inquietar vanamente, perder el tiempo; y habría en este proceder mucho del orgullo y de las ilusiones del demonio que, con estas inquietudes del espíritu, busca dañarlos y atormentarlos. Abandónense entonces a la misericordia divina y continúen con sus ejercicios con tanta tranquilidad como si no hubieran cometido ninguna falta. Aun cuando hayan ofendido a Dios varias veces en un solo día, no pierdan jamás la confianza en Él. Practiquen esto que les digo, tanto la segunda vez como la tercera, la última vez como la primera...Esta manera de combatir contra el demonio es la que él teme más, porque sabe que es la que más le gusta a Dios, y es la que le provoca más confusión, viéndose domado por el mismo a quien había vencido fácilmente en encuentros anteriores...

...Por lo tanto, si una falta, en la que por desgracia hayan caído, les provoca inquietud y les resta coraje, lo primero que deben hacer es buscar recobrar la paz del alma y la confianza en Dios...".

Para finalizar este punto podríamos agregar una observación: es verdad que es peligroso hacer el mal, y que debemos hacer todo por evitarlo. Pero reconozcamos que, tal como estamos hechos, nos sería peligroso hacer sólo el bien.

En efecto, marcados por el pecado original, tenemos una tendencia tan enraizada al orgullo, que nos es muy difícil y también inevitable hacer algún bien sin apropiárnoslo en parte, sin atribuirlo al menos parcialmente a nuestras capacidades, a nuestros méritos, a nuestra santidad. Si el Señor no permitiera que de vez en cuando hiciéramos algún mal, que cayéramos en la imperfección, estaríamos en grave peligro. Caeríamos rápidamente en la presunción, en el desprecio del prójimo. nos olvidaríamos de que todo viene de Dios en forma gratuita.

Y nada impide tanto el amor verdadero como este orgullo. Para preservarnos de este gran mal, el Señor permite a veces un mal menor: que caigamos a veces en algún defecto y debemos agradecerle por ello, porque. sin esta protección. estaríamos en grave peligro de perdernos.

16. La inquietud cuando debemos tomar decisiones

La última razón que vamos a examinar y que frecuentemente nos hace perder la paz, es la incertidumbre, la turbación de la conciencia experimentada cuando debemos tomar una decisión y no vemos nada claro. Tenemos miedo de equivocarnos y que esto tenga consecuencias molestas, tememos no hacer la voluntad del Señor.

Situaciones de este tipo pueden ser bastante penosas; algunos dilemas muy angustiantes. La actitud general de abandono y confianza de la cual hemos hablado, este dejar todo en las manos de Dios, que hace que no "dramaticemos" nunca nada (ni siquiera las consecuencias que pueden tener nuestros errores), nos será particularmente valiosa en estas situaciones de incertidumbre.

Querríamos sin embargo hacer algunas observaciones útiles para conservar la paz interior cuando debemos tomar decisiones.

La primera cosa que diremos (totalmente en armonía con lo que hemos expresado hasta el presente), es que, frente a una decisión importante, uno de los defectos a evitar es ciertamente el de la prisa excesiva y la precipitación. Una cierta lentitud es a menudo necesaria para considerar correctamente las cosas y dejar que nuestro corazón se oriente apacible y dulcemente hacia la buena solución. San Vicente de Paul tomaba las decisiones que se le presentaban después de madura reflexión (y por sobre todo de la oración), hasta el punto de que algunos de sus allegados lo encontraban demasiado lento para decidirse. ¡Pero juzguemos al árbol por sus frutos!

Antes de tomar una decisión, debemos hacer todo lo necesario y conveniente para ver con claridad y no decidir de forma precipitada o arbitraria: analizar la situación y sus distintos aspectos, considerar nuestras motivaciones para decidir con un corazón puro y no en función de nuestro interés personal, rezar para pedir la luz del Espíritu Santo y la gracia de actuar en conformidad con la voluntad de Dios, y, por fin pedir eventualmente el consejo de personas que puedan iluminarnos para tomar esta decisión.

A propósito de esto, debemos saber que toda persona encontrará, sobre todo en la vida espiritual, ciertas situaciones en las que será incapaz de discernir con claridad y de decidir en paz sin recurrir a una guía espiritual. El Señor no quiere que seamos autosuficientes, y es parte de su pedagogía permitir que nos encontremos a veces con la imposibilidad de encontrar la luz y la paz por nuestra cuenta; sólo podremos alcanzarlas por intermedio de otra persona ante quien nos abramos. Hay, en esta apertura del corazón relativa a las preguntas que nos hacemos, o a los dilemas que enfrentamos, una actitud de humildad, de confianza, que complace mucho al Señor y desarma frecuentemente las trampas que el enemigo tiende para inquietarnos y confundirnos. Sabemos que en algunos momentos de nuestra vida, esta paz interior, tan preciosa, de la cual hemos hablado tanto, nos será imposible encontrarla solos, sin el auxilio de alguien a quien abramos nuestra alma. San Alfonso de Ligorio era un director de almas sin igual, pero, en lo que respecta a su propia vida espiritual, era a menudo incapaz de orientarse sin la ayuda de una persona a la cual se abría y a quien obedecía.

Una vez dicho esto, interesa saber una cosa. Sean cuales sean las precauciones (oración, reflexión, consejos...) que tome una persona para tener claridad antes de llegar a una decisión y para estar segura de hacer la voluntad del Señor –es nuestro deber tomar esas precauciones, porque no tenemos derecho, sobre todo en los aspectos importantes, de decidir a la ligera–, no conseguirá siempre este esclarecimiento en forma concreta y evidente. Cuando, frente a una situación determinada, nos preguntemos (y es obligación nuestra hacerlo siempre): –¿qué debo hacer; cuál es la voluntad del Señor?–, no siempre tendremos la respuesta.

Cuando hacemos este esfuerzo de discernimiento y búsqueda de la voluntad de Dios, el Señor a menudo nos habla por caminos diversos, y nos hace comprender de manera clara cómo debemos actuar. Y tomamos entonces nuestra decisión en paz.

Pero puede ocurrir que el Señor no nos responda. Y esto es totalmente normal. A veces nos deja enteramente libres; a veces, por razones propias, no se manifiesta. Es bueno saberlo, porque ocurre a menudo que, por temor a equivocarnos, no hacemos la voluntad de Dios, buscando a cualquier precio tener una respuesta: multiplicamos las reflexiones, las oraciones, abrimos diez veces la Biblia para obtener un texto y tener la luz deseada. Y todo esto turba e inquieta más que otra cosa; no se ve con más claridad, por otra parte: se tiene un texto, pero no se sabe cómo interpretarlo.

Cuando el Señor nos deja así en la incertidumbre, debemos aceptarlo con tranquilidad. Más que querer "forzar la situación" y atormentarnos inútilmente porque no tenemos una respuesta evidente, debemos seguir este principio, como nos lo indica la Hermana Faustina:

> "Cuando no se sabe qué es lo mejor, debemos reflexionar, considerar y pedir consejo, porque no tenemos el derecho de actuar en la incertidumbre de la conciencia. En la incertidumbre –si ésta perdura– debemos decirnos: haga lo que haga, estará bien, mientras tenga la intención de hacer el bien. Lo que nosotros consideramos bueno, Dios lo acepta y lo considera bueno. No debemos entristecernos si después de un tiempo vemos que esas cosas no eran buenas. Dios mira la intención con la cual nosotros comenzamos a actuar y otorgará la recompensa según esa intención. Es un principio que debemos seguir" (*Journal spirituel,* n° 799, Editions Jules Hovine).

A menudo nos atormentamos excesivamente a propósito de nuestras decisiones. Lo mismo que existe una falsa humildad, una falsa compasión, podemos decir también que, en lo que concierne a nuestras elecciones, existe a veces lo que podríamos llamar una "falsa obediencia" a Dios: querríamos estar siempre absolutamente seguros de hacer la voluntad de Dios en todas nuestras elecciones, y no equivocarnos nunca. Pero hay en esta actitud algo que no está bien, y por diversos motivos.

Por una parte este deseo de saber lo que Dios quiere esconde a veces la dificultad para soportar una situación de incertidumbre: querríamos que se nos dispensara de tener que decidir por nuestra cuenta. Pero, frecuentemente, la voluntad del Señor es que sepamos decidir, aún cuando no estemos absolutamente seguros de que esta decisión sea la mejor. En efecto, en esta capacidad de decidir en la incertidumbre, haciendo lo que nos parezca mejor y sin pasar las horas titubeando, existe una actitud de confianza y de abandono: "Señor, he reflexionado y rezado para saber cuál era tu voluntad; no la veo muy claramente pero no me inquieto por ello y no voy a pasar las horas torturándome; decido tal cosa porque, bien considerada, me parece lo mejor que puedo hacer. Y abandono todo en tus manos. Sé bien que, aunque me equivoque, no lo tendrás en contra mío, porque he actuado con intención recta. Y si me he equivocado, sé que serás capaz de sacar un bien de este error. Esto será para mí fuente de humildad y sacaré de ello alguna enseñanza. Y permaneceré en paz...".

Por otra parte nos gustaría mucho ser infalibles, no equivocarnos nunca, pero hay mucho de orgullo en este deseo, y también el temor de ser juzgados por los demás. Quien, por el contrario, acepta apaciblemente equivocarse de vez en cuando, y que los otros se den cuenta de ello, manifiesta una verdadera humildad y un verdadero amor a Dios.

No tengamos una idea falsa de lo que Dios exige de nosotros: Dios es el Padre bueno y compasivo que conoce las enfermedades de sus hijos, los límites de nuestro juicio. Nos pide una buena voluntad, una intención recta, pero en ningún caso exige de nosotros que seamos infalibles y que nuestras decisiones sean perfectas. Y, además, si todas nuestras decisiones fueran perfectas, ello nos traería sin duda más mal que bien. Nos creeríamos rápidamente superhombres.

Para concluir, el Señor ama más a quien sabe decidir sin vacilar demasiado, aun cuando esté en la incertidumbre, y que se abandona con confianza en Él sin pensar en las consecuencias, que a quien se atormenta indefinidamente el espíritu para saber qué es lo que Dios espera de él y que no se decide nunca. Porque hay en la actitud del primero más abandono, confianza, y por lo tanto amor, que en la del segundo. Dios ama a aquellos que caminan con libertad de espíritu y que no se pierden demasiado en los detalles. El perfeccionismo no tiene nada que ver con la santidad...

Importa bien saber distinguir los casos en los cuales es necesario tomarse tiempo para discernir y decidir, cuando se trata de decisiones que comprometen toda nuestra vida, por ejemplo, y, por el contrario, cuándo sería estúpido y contrario a la voluntad de Dios tomarse demasiado tiempo y precauciones antes de tomar partido, cuando no existen muchas diferencias entre uno u otro. Como dice san Francisco de Sales, "si bien es normal pesar con cuidado los lingotes de oro, cuando se trata de pequeñas monedas, uno se contenta con hacer una rápida evaluación". El demonio, que busca siempre inquietarnos, nos hace preguntarnos, ante la más mínima decisión, si es o no la voluntad del Señor que lo hagamos así, suscitando inquietudes, escrúpulos y remordimientos de conciencia ante cosas que no valen realmente la pena.

Debemos tener un deseo profundo y constante de obedecer a Dios. Pero este deseo estará verdaderamente de acuerdo con el Espíritu Santo si está acompañado de paz, de libertad interior, de confianza y de abandono, y no si es fuente de una confusión que paraliza la conciencia e impide decidir libremente.

Es verdad que el Señor puede permitir momentos en que este deseo de obedecerle provoque verdaderos tormentos; existe también el caso de personas escrupulosas por temperamento, y es una prueba dolorosa de la cual el Señor no siempre nos libra totalmente en esta vida.

Pero nos queda saber que habitualmente debemos esforzarnos por caminar así, en la libertad interior y la paz, y que, como acabamos de decir, el demonio busca incesantemente turbarnos; es hábil, utiliza el deseo que tenemos de hacer la voluntad de Dios para inquietarnos. No hay que dejarse vencer. Cuando alguien está lejos de Dios, el adversario lo tienta por el mal; lo atrae a cosas malas. Pero cuando uno está cerca de Dios, lo ama, no desea nada tanto como complacerlo y obedecerle, el demonio, si bien lo tienta todavía por el mal (lo que es fácil de reconocer), lo tienta aún más por el bien. Esto significa que se sirve de nuestro deseo de hacer el bien para inquietarnos, suscitando esos escrúpulos, o presentándonos un cierto bien que nosotros deberíamos realizar, pero que está más allá de nuestras fuerzas actuales, o que no es el que Dios nos pide, para desalentarnos o hacernos perder la paz. Quiere persuadirnos de que no hacemos lo suficiente, o de que aquello que hacemos no lo hacemos verdaderamente por amor a Dios; que el Señor no está contento con nosotros, etc. Nos hará creer, por ejemplo, que el Señor nos pide tal sacrificio, del cual no somos capaces, y eso nos inquietará mucho. Suscitará toda suerte de escrúpulos y de inquietudes de conciencia, que debemos pura y simplemente ignorar echándonos en brazos de Jesús como niños pequeños. Cuando perdemos la paz por razones semejantes a las que acabamos de evocar, digámonos que el demonio está actuando allí, busquemos recuperar nuestra calma y, si no conseguimos hacerlo solos, busquemos abrirnos a una persona espiritual. El simple hecho de hablar de ello con alguien será en general suficiente para hacer desaparecer totalmente la turbación y devolvernos la paz.

Acerca de este espíritu de paz que debe animarnos en todas nuestras acciones y decisiones, terminemos escuchando a san Francisco de Sales:

"Tenga su corazón en alto y siempre entregado a la Providencia divina, sea en las grandes cosas como en las pequeñas, y procure cada vez más lograr en su corazón el espíritu de dulzura y de tranquilidad" (a Mme. De la Fléchere, 13 de mayo de 1609).

"Le he dicho frecuentemente que no hay que ser demasiado "puntillista" en el ejercicio de las virtudes, sino que hay que ir sin rodeos, francamente, ingenuamente, a la "vieja usanza francesa", con libertad, de buena fe, grosso modo. Porque temo al espíritu de cerrazón y de melancolía. Deseo que tenga un corazón grande y amplio, en el camino de Nuestro Señor" (a Mme. De Chantal, 1 de noviembre de 1604).

17. El camino real del amor

¿Por qué, en definitiva, esta manera de ir de frente, basada en la paz, la libertad, el abandono confiado a Dios, la aceptación tranquila de nuestras debilidades y aun de nuestras caídas, es el camino aconsejable? ¿Por qué es más correcta que la búsqueda de la voluntad de Dios basada en la preocupación, el escrúpulo, el deseo tenso e inquieto de perfección?

Porque la **única verdadera perfección es la del amor,** y en la primera manera de proceder hay más verdadero amor de Dios que en la segunda. La Hermana Faustina decía: "Cuando no sé qué hacer, interrogo al amor; es él quien mejor me aconseja". El Señor nos llama a la perfección: *"Sed perfectos como vuestro Padre del Cielo es perfecto".* Pero, según el Evangelio, no es más perfecto quien se comporta de modo irreprochable, sino quien más ama.

La conducta más perfecta no es la que corresponde a la imagen que nos hacemos a veces de la perfección como un comportamiento impecable, infalible y sin mancha. Es aquella en la que existe el mayor amor desinteresado a Dios y la menor búsqueda orgullosa de sí mismo. Quien acepta ser débil, pequeño, caer a menudo, no ser nada a los propios ojos ni a los de los demás, pero sin preocuparse demasiado de ello por estar animado de una gran confianza en Dios, que sabe que su amor es infinitamente más importante y pesa más que sus propias imperfecciones y faltas, ése ama más que aquél que lleva la preocupación de su propia imperfección hasta la inquietud.

"Felices los pobres de espíritu porque de ellos es el Reino de los Cielos" : felices aquellos que, iluminados por el Espíritu Santo, han aprendido a no hacer de su pobreza un drama, sino a aceptarla con alegría porque ponen toda su esperanza no en sí mismos sino en Dios. Dios mismo será su riqueza, será su perfección, su santidad, sus virtudes... Felices aquellos que saben amar su pobreza porque ella es la ocasión maravillosa dada a Dios para que manifieste la inmensidad de su Amor y de su Misericordia. Seremos santos el día en el que nuestra incapacidad y nuestra nada no sean más para nosotros motivo de tristeza y de inquietud, sino de paz y de alegría.

Este camino de pobreza, que es también camino de amor, es el más eficaz para hacernos crecer, para hacernos adquirir progresivamente todas las virtudes, para purificarnos de nuestras faltas.Sólo el amor es fuente de crecimiento, sólo él es fecundo, sólo el amor purifica en la profundidad del pecado: "El fuego del amor purifica más que el fuego del purgatorio" (Teresa de Lisieux). Este camino a seguir, basado en la aceptación alegre de la propia pobreza, no es para nada un resignarse a la mediocridad, un renunciar a aspirar a la perfección. Es el camino más rápido y más seguro que nos conduce a ella, porque nos pone en disposición de pequeñez, de confianza, de abandono, por lo cual estamos enteramente entregados en las manos de Dios, que puede entonces actuar por medio de su gracia y llevarnos Él mismo, por pura misericordia, a esta perfección que no sabríamos, de ninguna manera, alcanzar mediante nuestras propias fuerzas.

18. Algunos consejos a modo de conclusión

Busquemos entonces poner en práctica todo lo dicho. Con paciencia y perseverancia y, sobre todo sin desalentarnos si no lo logramos perfectamente. Si puedo permitirme esta fórmula un poco paradojal, no debemos, sobre todo, perder la paz porque no logremos siempre estar en paz tanto como querríamos. Nuestra reeducación es lenta, y necesitamos tener mucha paciencia con nosotros mismos.

Entonces, principio fundamental: "¡No me desalentaré jamás!" Es otra frase de la pequeña Teresa, modelo acabado de este espíritu que hemos intentado describir en estas páginas. Y retengamos también las palabras de la gran Teresa de Ávila: "La paciencia todo lo alcanza".

Otro principio práctico muy útil es el siguiente: si no soy capaz de hacer grandes cosas, no debo desalentarme, sino hacer cosas pequeñas. A veces, si no somos capaces de cosas grandes, de actos heroicos, dejamos de lado las pequeñas cosas que están a nuestro alcance y que sin embargo son tan fecundas para el progreso espiritual, y fuente de tanta alegría: *"Muy bien, servidor bueno y honrado: ya que has sido fiel en lo poco, yo te voy a confiar mucho más. Ven a compartir la alegría de tu patrón"* (Mt 25, 21). Si el Señor nos encuentra fieles en perseverar al llevar a cabo pequeños esfuerzos en el sentido de lo que Él espera de nosotros, es Él mismo quien intervendrá y nos establecerá en una gracia más elevada. Aplicación: si no soy aún capaz de permanecer en paz frente a situaciones difíciles, comenzaré a esforzarme por mantener esa paz en las situaciones más fáciles de todos los días: en hacer tranquilamente y sin nerviosismo mis tareas cotidianas, poniéndome a hacer bien cada cosa en el momento presente, sin preocuparme por el siguiente, en hablar apaciblemente y con dulzura a quienes me rodean, evitando un apresuramiento excesivo hasta en mis gestos y en mi forma de subir las escaleras. Los primeros escalones de la escalera de la santidad pueden muy bien ser los de mi departamento. El alma se reeduca a menudo por el cuerpo. Las pequeñas cosas hechas por amor y para contentar a Dios son de un extremo provecho para hacernos crecer; ése es uno de los secretos de la santidad de santa Teresa de Lisieux.

Y si perseveramos así, en la oración y en estos pequeños gestos de colaboración con la gracia, podremos vivir las palabras de san Pablo:

> *"No se inquieten por nada; antes bien, en toda ocasión presenten sus peticiones a Dios y junten la acción de gracias a la súplica. Y la paz de Dios, que es mayor de lo que se puede imaginar, les guardará sus corazones y sus pensamientos en Cristo Jesús"* (Flp 4, 6-7).

Y esta paz, nadie nos la podrá quitar.

TERCERA PARTE

Lo que nos dicen los santos

Juan de Bonilla

Franciscano español del siglo XVI, autor de un espléndido pequeño *Tratado de la Paz del alma*.

1. La paz, camino hacia la perfección

La experiencia les mostrará cómo la paz, que difundirá en sus almas la caridad, el amor de Dios y del prójimo, es el camino más recto hacia la vida eterna.

Tengan solamente cuidado de no dejar nunca que sus corazones se inquieten, se entristezcan, se emocionen ni se impliquen con aquello que pudiera preocuparles. Más bien, trabajen siempre para mantenerlos tranquilos, porque el Señor dijo: "Bienaventurados los pacíficos". Hagan eso y el Señor edificará en sus almas la ciudad de la paz, y hará de ustedes la Mansión de las delicias. Lo que Él quiere de parte de ustedes es que, cada vez que se preocupen, recobren la calma, la paz en ustedes mismos, en sus obras, en sus pensamientos y movimientos, sin excepción.

Lo mismo que una ciudad no se construye en un día, no crean poder alcanzar, en un día, esa paz, ese apaciguamiento interior, porque se trata de edificar una morada para Dios y convertirse, ustedes mismos, en un templo. Y es el Señor mismo quien debe construirlo: sin lo cual el trabajo de ustedes será inexistente.

Consideren, también, por otra parte, que este edificio tendrá por fundamento la humildad.

2. Tener el alma libre y desprendida

Que la voluntad de ustedes esté siempre lista para cualquier eventualidad, y los corazones no se encuentren sometidos a nada. Cuando deseen algo, que sea de manera que no sientan pena en caso de fracaso; mejor, conserven el espíritu tan tranquilo como si no hubiesen deseado nada. La verdadera libertad consiste en no atarse a nada. Es así, desprendida de todo, como Dios busca nuestras almas para operar allí sus grandiosas maravillas[1].

[1] JUAN DE BONILLA, *Traité de la paix des âmes*, Ed. N.-D. De la Trinité, Blois, 1964.
[2] JUAN DE BONILLA, *La paix intérieure*, Ed. du Lion de Juda, 1991.

San Francisco de Sales
(1567-1622)

1. Dios es el Dios de la paz

Puesto que el amor habita sólo en la paz, sean siempre cuidadosos por conservar la santa tranquilidad de corazón que tan a menudo les recomiendo.

Todo pensamiento que les provoque inquietud y agitación espiritual no es de Dios, que es el Príncipe de la Paz. Estas son tentaciones del enemigo y deben ser rechazadas desde el principio y no ser tenidas en cuenta.

Debemos ante todo y en todo vivir en paz. Si nos llega un dolor, interior o exterior, debemos recibirlo apaciblemente. Si nos llega la alegría, debemos recibirla apaciblemente, sin sobresaltarnos por ello. ¿Debemos escapar del mal? Es necesario que lo hagamos en paz, sin inquietarnos, porque de otra forma, al escapar, podríamos caer y dar tiempo al enemigo para matarnos. Si debemos hacer el bien, hagámoslo apaciblemente; de otra manera cometeremos muchos errores al apresurarnos. Aún la penitencia, debemos hacerla apaciblemente (Carta a la Abadesa de Puy d'Orbe).

2. Cómo obtener la paz

Hagamos tres cosas, mi muy querida hija, y tendremos la paz: tengamos una muy pura intención de querer en todas las cosas el honor de Dios y su gloria, hagamos lo poco que podemos hacer tendiente a ese fin, según el consejo de nuestro padre espiritual, y dejemos a Dios el cuidado del resto. Quien tiene a Dios por objeto de sus intenciones y hace lo que puede, ¿por qué se preocupa?, ¿qué debe temer? No, no, Dios no es tan terrible con aquellos que ama; se contenta con poco, porque sabe que no tenemos mucho. Y sabe, querida hija, que Nuestro Señor es llamado Príncipe de la Paz en las Escrituras y que por lo tanto, en todas partes es el Maestro absoluto y mantiene todo en paz. Es verdad sin embargo que antes de poner la paz en algún lugar, hace en él la guerra, separando el alma y el corazón de sus afectos más queridos, familiares y comunes, es decir, el amor desmesurado de sí mismo, la confianza en sí mismo, la complacencia en sí mismo y otros afectos semejantes.

Ahora bien, cuando Dios nos separa de estas pasiones tan preciosas y queridas, parece que deja el corazón en carne viva y provoca sentimientos muy amargos; no podemos evitar luchar con toda el alma, porque esta separación es dolorosa, pero esta lucha espiritual no carece de paz, puesto que, finalmente, abrumados por este desamparo, no dejamos por ello de resignar nuestra voluntad en la de Nuestro Señor y mantenerla allí, anclada en su divino capricho, y no dejamos de ninguna manera nuestras cargas ni el ejercicio de aquellas, sino que las llevamos valientemente (Carta a la Abadesa de Puy d'Orbe).

3. Paz y humildad

La paz nace de la humildad.

Nada nos inquieta más que el amor propio y la estima que tenemos de nosotros mismos. ¿Qué significa el que, cuando tenemos alguna imperfección o pecado, nos sintamos asombrados, turbados e impacientes? Sin duda alguna es porque pensamos que somos buenos, resueltos y sólidos, y, por lo tanto, cuando vemos que no es así y que nos hemos ido de narices al suelo, sentimos que nos hemos equivocado y estamos, por consiguiente, preocupados, ofendidos e inquietos. Porque si supiéramos bien lo que somos, en lugar de estar sorprendidos por vernos en el suelo, deberíamos asombrarnos por poder vernos de pie.

4. "Todo concurre al bien de aquellos que aman a Dios" (Rom 8, 28)

Todo ocurre para el bien de quienes aman a Dios. Y, en verdad, puesto que Dios puede y sabe sacar el bien del mal, ¿por qué lo haría, sino por aquellos que, sin reservas, se han entregado a Él?

Sí, aun los pecados, de los cuales Dios nos defiende, son reducidos por la divina Providencia al bien de aquellos que le pertenecen. Jamás David hubiera sido tan colmado de humildad si no hubiera pecado, ni la Magdalena tan amante de su Salvador si Él no le hubiera perdonado tantos pecados, y nunca se los hubiera perdonado si ella no los hubiera cometido.

Contempla, mi querida hija, a este gran artesano de la misericordia: convierte nuestras miserias en gracia, y fabrica el remedio de la salvación de nuestras almas con la serpiente de nuestras iniquidades.

Te ruego, pues, que me digas, ¿qué es lo que no hará entonces con nuestras aflicciones, con nuestros trabajos, con las persecuciones que sufrimos? Si sucede entonces que algún disgusto te toca, de cualquier lado que venga, asegura a tu alma que, si ama bien a Dios, todo se convertirá en bien. Y aunque no veas los recursos por medio de los cuales esto ocurrirá, permanece, no obstante, segura de que así será. Si Dios echa el fango de la ignominia sobre tus ojos, es para darte una buena vista y un espectáculo de honor. Si Dios te hace caer, como a san Pablo a quien tiró por tierra, es para elevarte a su gloria.

5. Desear sólo a Dios de manera absoluta; todo lo demás moderadamente

Sólo a Dios debemos quererlo absoluta, invariable e inviolablemente; pero a los medios para servirle, debemos desearlos dulce y débilmente, a fin de que, si no podemos emplearlos, no nos veamos por ello demasiado alterados.

6. Confianza en la Providencia

La medida de la Providencia divina con nosotros es la confianza que tenemos en ella.

No prevengas los accidentes de esta vida mediante el temor, sino por una perfecta esperanza en que, a medida que ocurran, Dios, a quien perteneces, te librará de ellos. Te ha cuidado hasta el presente; solamente debes ponerte en manos de su Providencia y Él te asistirá en todas las ocasiones, y donde no puedas caminar, Él te llevará. ¿Qué debes temer, mi muy querida hija, perteneciendo a Dios, que nos ha asegurado tan fuertemente que todo concurrirá para la felicidad de aquellos que lo aman? No pienses en lo que ocurrirá mañana, porque el mismo Padre eterno que cuida hoy de ti lo hará también mañana y siempre: no te dará ningún mal, o, si lo hace, te dará un coraje invencible para soportarlo.

Permanece en paz, mi muy querida hija; aparta de tu imaginación todo lo que pueda inquietarte y di a menudo a Nuestro Señor: -Oh, Dios, eres mi Dios, y me confiaré a ti; Tú me asistirás y serás mi refugio y no temeré nada, porque no solamente estás conmigo, sino que estás en mí, y yo en ti. ¿Qué puede temer un niño en brazos de tal Padre? Sé como un niño, mi muy querida hija; como sabes, los niños no piensan en tantas cosas; tienen quien piensa por ellos: son fuertes si permanecen con su padre. Haz tú también lo mismo, mi muy querida hija, y estarás en paz.

7. Evitar la prisa

Debemos tratar nuestros asuntos con cuidado, pero sin prisas ni preocupación.

No te apresures en tus tareas, porque toda suerte de apresuramiento turba la razón y el juicio, y hasta nos impide hacer bien las cosas que emprendemos...

Cuando Nuestro Señor reprende a santa Marta, le dice: *"Marta, Marta, te preocupas y te agitas por muchas cosas"* (Lc 10, 41). Si ella hubiese sido simplemente cuidadosa, no se hubiera inquietado, pero, por estar preocupada e inquieta, se apresura y se confunde, y es allí que Nuestro Señor la reprende...

Nunca fue bien hecha una tarea realizada impetuosa y apresuradamente...Recibe entonces en paz los trabajos que te lleguen, e intenta hacerlos ordenadamente, uno tras otro.

8. Paz frente a nuestros defectos

Debemos aborrecer nuestros defectos, pero con un odio tranquilo y apacible, no despechado ni desordenado; y verlos con paciencia, sacando provecho de una santa humillación de nuestro amor propio. De no hacerlo, hija mía, tus imperfecciones, que ves sutilmente y te inquietan aún más sutilmente, se mantendrán por ese medio, pues no hay nada que conserve más nuestros defectos que la inquietud y el apuro por suprimirlos.

9. Dulzura y paz en el celo hacia los otros

A una maestra de novicias:

"Oh, hija mía, Dios te ha concedido una gran misericordia llamando a tu corazón al gracioso apoyo del prójimo, derramando santamente el bálsamo de la suavidad del corazón hacia el prójimo en el vino de tu celo... Sólo te faltaba eso, mi muy querida hija; tu celo era bueno, pero tenía el defecto de ser un poco amargo, un poco apresurado, un poco inquieto, un poco puntilloso. Y lo vemos ahora purificado de esto: será de ahora en adelante dulce, benigno, gracioso, apacible y tolerante".

10. Y, finalmente: aceptar sin turbarse el no ser siempre capaz de conservar la paz

Intenta, hija mía, mantener tu corazón en paz con un humor estable. No digo que lo tengas en paz, sino que intentes hacerlo; que ésta sea tu principal preocupación, y cuídate mucho para que el no poder rápidamente calmar la oscilación de los sentimientos y del estado de ánimo, no se convierta en motivo de intranquilidad[1].

---

[1] *Oeuvres complétes*, publicadas por la Visitation d´Annency.

Teresa de Ávila
(1515-1582)

1. Verdadera y falsa humildad

Cuidémonos también, hijas mías, de ciertas humildades que nos sugiere el demonio. Él nos provoca las más vivas inquietudes mostrándonos la gravedad de nuestros pecados, y es éste uno de los puntos acerca de los cuales turba el alma de muchas maneras... Todo lo que hace le parece rodeado de peligros; todas sus buenas obras, por excelentes que sean, le parecen inútiles. Un desaliento tan grande hace que baje los brazos, se siente impotente para hacer nada bien, porque imagina que todo lo que es loable en los demás es malo en ella...

La humildad, por grande que sea, no inquieta, no turba, no agita el alma; está acompañada antes bien de paz, de alegría y de descanso. Sin duda alguna, la visión de su miseria le muestra claramente que ha merecido el infierno y la arroja en la aflicción; le parece que, en justicia, todas las criaturas deben mirarla con horror; no se atreve, por así decirlo, a pedir misericordia. Pero cuando la humildad es verdadera, esta pena irradia en el alma tal suavidad y contento que el alma no querría privarse de ella; no la turba ni la estrecha; antes bien, la dilata y la vuelve más apta para el servicio de Dios. No ocurre lo mismo con la otra pena: ella turba todo, agota todo, trastorna completamente el alma, está llena de amargura. A mi entender, el demonio querría hacernos creer que tenemos humildad y, si pudiera, nos llevaría en cambio a perder toda nuestra confianza en Dios *(Chemin de la Perfection,* ch. 41)[1].

[1] *Oeuvres Complétes,* traducción del padre G. De Saint-Joseph, Seul.

María de la Encarnación
(1566-1618)

1. Abandono a la voluntad de Dios

Si pudiéramos, con una sola rápida mirada interior, ver todo lo que hay de bondad, de misericordia, en los designios de Dios respecto de cada uno
de nosotros, aún en aquello que llamamos desgra-
cias, tristezas y aflicciones, nuestra felicidad con-
sistiría en echarnos en brazos de la divina Voluntad, con el abandono de un niño pequeño que se
echa en brazos de su madre. Obraríamos, en todas
las cosas, con la intención de complacer a Dios y
luego nos mantendríamos en un santo reposo, totalmente persuadidos de que Dios es nuestro Padre y que desea nuestra salvación, aún más de lo
que la deseamos nosotros mismos.

Francisco-María-Jacob Libermann (1802-1852)

Judío converso, fundador de los Padres del Espíritu Santo. Tomado de sus cartas de dirección espiritual.

1. La paz, reinado de Jesús en el alma

Los grandes medios para establecer en nosotros el reinado admirable de Jesús son, precisamente, el espíritu permanente de oración y la paz del alma...

Recuerda sin cesar y fija sólidamente esta verdad en el espíritu y en el corazón: que el medio más grande –y hasta infalible– de tener esta oración continua, es poseer el alma en paz delante de Nuestro Señor.

Presta atención a estas palabras: poseer el alma en paz; es un término usado por nuestro divino Maestro. Es necesario que nuestra alma esté siempre cerrada en sí misma, o mejor, en Jesús que habita en ella; no prisionera como encerrada por un cerrojo de hierro, sino por un dulce reposo, retenida en Jesús que la tiene entre sus brazos.

El esfuerzo y la contención estrechan el alma, pero un dulce reposo, una manera de obrar apacible, un actuar interior asentado, medido y tranquilo la dilatan.

2. La paz, condición de la docilidad al Espíritu

Nuestra alma, sacudida y removida por sus propias potencias, llevada y traída de un lado a otro, no puede ya abandonarse al Espíritu de Dios... El alma encontraría su fuerza, su riqueza y toda su perfección en el Espíritu de Nuestro Señor, si sólo quisiera abandonarse a su conducción. Pero porque la abandona, porque quiere actuar por y en sí misma, no encuentra en sí más que la preocupación, la miseria y la incapacidad más profunda... Debemos tender a esa paz y a esa moderación interior buscando vivir sólo en Dios y para Dios, en total dulzura y sumisión, haciendo continuamente abstracción de sí, olvidándonos de nosotros mismos, para volver constantemente nuestra alma a Dios y dejarla dulce y apaciblemente ante Él.

3. Confianza en Dios

Querría poder retarte por tener tan poca confianza en Nuestro Señor. No hay que temerle: esto es conferirle un gran insulto, a Él que es tan bueno, tan dulce, tan amable y tan lleno de ternura y de misericordia con nosotros. Puedes presentarte ante Él, cubierto de confusión por tu pobreza y tu maldad, pero que esta confusión sea la del hijo pródigo luego de su retorno, confiada y llena de ternura. He aquí cómo debes presentarte ante Jesús, nuestro buen Padre y Señor. Siempre temes no amarlo: es probablemente en esos momentos, mi muy querido, cuando lo amas más y está más cerca de ti que nunca. No midas el amor a Nuestro Señor por tu sensibilidad; es una medida muy pequeña. Abandónate en sus manos con confianza; tu amor crecerá más y más, sin que te des cuenta, y esto no es de ninguna manera necesario...

4. No turbarse por las propias miserias

No te inquietes nunca por tus miserias; manténte, viéndolas, en la humillación y la pequeñez delante de Dios, si ello te viene de lo alto, y permanece en una gran paz. Opone a toda miseria, sea cual sea, la dulzura, la paz, la suavidad y la moderación interior delante de Dios, abandonándote simplemente en sus manos, para que haga de ti y en ti lo que le parezca bien, deseando dulce y apaciblemente no vivir más que para Él, por Él y en Él.

5. No inquietarse por la aparente tibieza

No te dejes abatir o desalentar si te parece que no haces nada, que eres cobarde y tibio, si te ves sujeto todavía a afectos naturales, a pensamientos de amor propio, a estados de tristeza. Trata simplemente de olvidar todas estas cosas, y vuelve tu espíritu hacia Dios, manteniéndote ante Él con un deseo apacible y continuo de que Él haga de ti y en ti su santo capricho. No busques más que olvidar y caminar ante Él en medio de tu pobreza, sin mirarte a ti mismo nunca... En tanto te inquietes por estos movimientos de la naturaleza, te ocuparás de ti mismo, y, en tanto estés ocupado contigo mismo, no avanzarás mucho en el camino de la perfección. Estos movimientos sólo cesarán si los rechazas y los olvidas.Por otra parte, te aseguro que no tienen ninguna importancia ni consecuencia: búrlate de ellos y ve sólo a Dios, y esto por la pura y simple fe.

6. No inquietarse por las caídas

Olvida siempre el pasado, y no te inquietes por las caídas, por numerosas que sean. Siempre que te levantes, no te pasará nada malo. Sí te ocurrirá si te desalientas o te afliges demasiado por ello. Haz todo con la mayor calma y reposo que puedas, y por el muy grande, muy puro y muy santo amor de Jesús y de María.

7. Paciencia

Uno de los obstáculos más grandes que se encuentran en el camino de la perfección es ese deseo apresurado e inquieto de avanzar y de poseer las virtudes que uno sabe que no tiene. Por el contrario, la verdadera manera de avanzar sólidamente y a grandes pasos es tener paciencia, calmar y apaciguar estas inquietudes... No quieras adelantarte a tu guía, para no extraviarte y apartarte del camino que él te traza, porque entonces, en lugar de llegar sano y salvo a tu destino, puedes caer en un precipicio. Este guía es el Espíritu Santo. Con tus trabajos e inquietudes, con tu turbación y tu apresuramiento te le adelantas, bajo pretexto de ir más rápido, y, ¿qué ocurre? Vas al costado del camino, donde el terreno es más duro y más áspero, y lejos de avanzar retrocedes, o al menos pierdes el tiempo.

8. Dejar actuar al Espíritu de Dios

Cuando Dios quiso crear el universo, trabajó sobre la nada, y ¡mira qué cosas hermosas hizo! De la misma manera, cuando Él quiere trabajar en nosotros para obrar allí cosas infinitamente más grandes que todas las bellezas naturales salidas de sus manos, no necesita que nosotros nos agitemos tanto para ayudarlo... dejémosle hacer... a Él le encanta trabajar sobre la nada. Mantengámonos en paz y tranquilidad frente a Él, y sigamos sólo el movimiento que Él nos de. Tengamos nuestra alma en paz y nuestras potencias espirituales en reposo ante Dios, esperando todo movimiento y toda vida sólo de Él. Y tratemos de no tener ni movimiento ni voluntad ni vida sino en Dios y por el Espíritu de Dios... Debemos olvidarnos de nosotros mismos, para volver continuamente el alma hacia Dios y dejarla dulce y apaciblemente frente a Él.

9. Moderar nuestros deseos

La gran ocupación de tu alma debe ser moderar sus movimientos y adquirir una humilde sumisión y abandono en las manos de Dios. Te está permitido, y es por cierto bueno, tener deseos de progreso espiritual, pero estos deseos deben ser calmos, humildes y sumisos ante el capricho de Dios. Un pobre que pide limosna con violencia impacienta y no obtiene nada. Si la pide con humildad, dulzura y afecto conmueve a los hombres a quienes pide. Los deseos demasiado violentos vienen de la naturaleza. Todo lo que viene de la gracia es dulce, humilde, moderado, llena el alma y la vuelve buena y sumisa a Dios. Tu particular aplicación debe consistir entonces en moderar los movimientos de tu alma, en mantenerla calma ante Dios, en ser sumisa y humilde frente a Él.

Deseas avanzar en el camino de la santidad; es Dios el que te da este deseo, es también Él quien debe cumplirlo. San Pablo dijo que Dios es quien nos da el querer y el hacer. No podemos querer nada en el orden de la gracia por nosotros mismos. Dios nos da ese querer. Cuando lo tenemos, no podemos llegar a ejecutarlo por nuestros medios. Dios nos da el hacer. Nuestro rol es ser fieles en seguir la conducta de Dios, y dejarlo hacer lo que le parezca bien. Preocuparnos, apresurarnos por ejecutar los buenos deseos que Él nos inspira, es estorbar la obra de la gracia en nosotros, es retroceder en nuestra perfección. No busquemos ser inmediatamente perfectos. Logremos con calma, con apacible fidelidad, lo que Él nos pide. Si le place llevar nuestra barca más suavemente de lo que nosotros querríamos, seamos sumisos a sus divinos deseos.

Siempre que veamos en nosotros los mismos defectos, pongámonos ante Él en nuestra bajeza, abrámosle nuestra alma a fin de que Él vea nuestras llagas y nuestras cicatrices, y que nos cure cuando y como quiera; tratemos sólo de no seguir el impulso de estos defectos y para ello usemos el único medio que tenemos: postrarnos humildemente ante Él, viendo nuestra pobreza y nuestra miseria, soportando con tranquilidad los ataques de estos defectos, con calma, con paciencia, con dulzura, confianza y humildad ante Dios, decididos a ser todo para Él en medio de estas fallas, a no consentirlos y a soportarlos hasta el fin de nuestra vida, si tal es su deseo. Porque, y ténganlo bien en cuenta, una vez que nuestra alma no consiente en esos defectos, no es más culpable por ellos, no ofende más a Dios y, por el contrario, recibe de ellos gran provecho para su progreso.

10. Vivir en el momento presente

Sé dulce y flexible en las manos de Dios. Sabes lo que necesitas para hacerlo: estar en paz y en calma, no inquietarse nunca y no turbarse por nada, olvidar el pasado, vivir como si no existiera el futuro, vivir para Jesús en el momento presente, o más bien vivir como si no tuviéramos vida en nosotros, sino dejando a Jesús vivir a gusto; caminar así, en toda circunstancia, sin temor ni preocupación, como conviene a los hijos de Jesús y de María; no pensar nunca voluntariamente en sí mismos, abandonar el cuidado del alma sólo a Jesús, etc. Es Él quien la ha tomado, por lo tanto le pertenece y le corresponde a Él cuidar de ella, puesto que es su propiedad. No temas tanto el juicio de un Maestro tan dulce. En todo momento descarta el temor y reemplaza este sentimiento por el amor; en todo esto actúa dulcemente, suavemente, ubicadamente, sin prisa, sin arrebatos. Quédate quieto cuando sea necesario y camina también con toda suavidad, abandono y plena confianza. El tiempo del exilio acabará y Jesús será nuestro y nosotros suyos. Entonces, cada una de nuestras tribulaciones será para nosotros una corona de gloria, que pondremos sobre la cabeza de Jesús, porque toda gloria es sólo suya.

11. Nuestra incapacidad, motivo no de tristeza y de inquietud sino de paz y alegría

La visión de nuestra incapacidad y de nuestra nulidad debe ser para nosotros un gran motivo de paz, al convencernos de que Dios mismo quiere poner su mano en su creación para obrar en nosotros y por nosotros todas las grandes cosas a las que nos destina. Porque conoce mucho mejor que nosotros nuestra pobreza y nuestra miseria. ¿Y por qué entonces nos ha elegido, sabiendo que nada podemos, sino para mostrar que evidentemente es Él y no nosotros quien hará la obra?

Pero es, me parece, un motivo aún mayor de alegría el que nuestra extrema miseria y abominación nos pongan en la necesidad absoluta de tener que recurrir siempre a nuestro Dios y de mantenernos siempre unidos a Él en todo momento y en toda circunstancia de nuestra vida. Dependemos de Él más que nuestro cuerpo depende de nuestra alma. Y bien, ¿es molesto para el cuerpo estar en una continua dependencia de nuestra alma, y recibir de ella toda su vida y sus movimientos? Por el contrario, esto le resulta muy glorioso y muy agradable, porque se convierte así en participante de una vida mucho más noble y relevante que la que tendría por sí. Lo mismo ocurre con nuestra dependencia de Dios, pero de una manera muy superior; cuanto más dependemos de Él, más nuestra alma adquiere grandeza, belleza y gloria, de suerte que podemos audazmente glorificarnos de nuestras debilidades; cuanto más grandes sean, más grandes serán nuestra alegría y nuestra felicidad, porque nuestra dependencia de Dios se volverá entonces más necesaria. Así pues, mi muy querido, no te inquietes más si te sientes débil; por el contrario, alégrate, porque Dios será tu fuerza. Sólo ten cuidado de tener tu alma siempre vuelta hacia Él en la mayor paz, el más perfecto abandono y la mayor confusión y humillación de ti mismo[1].

---

[1] *Lettres du Venérable Pére Libermann*, presentadas por L. Vogel, DDB, París, 1964.

Padre Pío
(1887-1968)

Padre capuchino, estigmatizado.

La paz es la simplicidad del espíritu, la serenidad de la conciencia, la tranquilidad del alma, el sitio del amor. La paz es el orden, la armonía en cada uno de nosotros; es una alegría continua que nace del testimonio de una buena conciencia; es la alegría santa de un corazón en el que reina Dios. La paz es el camino de la perfección, o, mejor: en la paz se encuentra la perfección. Y el demonio, que conoce muy bien esto, hace todos los esfuerzos posibles para hacernos perder la paz. El alma no debe entristecerse más que por una sola cosa: por la ofensa hecha a Dios. Pero aún en este punto debemos ser muy prudentes: debemos lamentar, sí, nuestras faltas, pero con un dolor pacífico, siempre confiados en la misericordia divina. Pongámonos en guardia contra ciertos reproches y remordimientos contra nosotros mismos; estos reproches, muy a menudo, nos vienen del enemigo con el propósito de turbar nuestra paz en Dios. Si tales reproches nos rebajan y nos vuelven diligentes en actuar bien, sin disminuir nuestra confianza en Dios, tengamos por seguro que vienen de Dios. Pero si nos confunden y nos vuelven temerosos, desconfiados, perezosos, lentos para hacer el bien, tengamos por cierto de que vienen del demonio y rechacémoslos, buscando refugio en la confianza en Dios[1].

[1] Tomado de una carta traducida por el autor.

Indice

Este libro se terminó de imprimir en D'Aversa,
Vicente López 318 (1879), Buenos Aires, República Argentina.